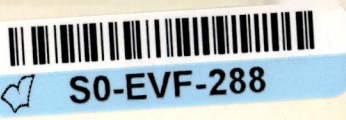

RODOLFO USIGLI

EL NIÑO
Y
LA
NIEBLA

∧∧∧∧∧∧∧∧∧∧∧∧∧∧∧∧∧∧∧∧∧∧∧∧∧∧∧∧∧∧∧∧∧

Edited by REX EDWARD BALLINGER
SOUTHWEST MISSOURI
STATE COLLEGE

D. C. HEATH AND COMPANY   BOSTON

862.6
U85n

Copyright ©, 1964,
by D. C. HEATH AND COMPANY

No part of the material covered by this copyright may be reproduced in any form without written permission of the publisher. Printed in the United States of America.

Printed March 1965

　100730

CONTENTS

Preface	v
Piezas de Rodolfo Usigli	vii
Noticia	xiii
Apostilla and Post-Scriptum	xv
Al margen	xxi
El niño y la niebla	1
Acto primero	3
Acto segundo	28
Acto tercero	52
Notas	75
Ejercicios	82
Vocabulario	105

PREFACE

This textbook edition of *El niño y la niebla* by Rodolfo Usigli (1905–) offers to English-speaking students of Spanish literature a play by the most distinguished playwright of Mexico. The author's reputation was reconfirmed when the late George Bernard Shaw said, after reading Usigli's drama *Corona de sombra* in 1945: "If you ever need an Irish certificate of vocation as a dramatic poet I will sign it," and he concluded his note with the terse comment, "Mexico can starve you; but it cannot deny your genius."

El niño y la niebla was first performed at the *Teatro del Caracol* in Mexico City in 1951 and had the distinction of running 450 performances before closing, a record not equalled by any play in Mexican theatre history. The performance closed after nine months with full houses since the actress Isabela Corona was too tired to continue and no understudy of sufficient reputation was available to replace her.

The central theme of *El niño y la niebla* was suggested to the author by an actual incident which a North American girl told him when he was studying drama on a Rockefeller grant in 1934 at Yale University. Usigli's exposition and solution of the Ibsen-like theme of hereditary insanity provoked considerable discussion among medical circles in Mexico and for the most part was accepted with professional admission.

The play is suitable in subject and in vocabulary for use early in the study of Spanish. The vocabulary is practical, with many readily recognizable cognates and a minimum number of idiomatic expressions.

The Notes explain all allusions to persons and terms not covered in the Vocabulary. Consultation with the author has clarified some expressions that otherwise would not be understood.

Exercises are intended to increase the student's vocabulary by word families, cognates, and idioms. This text has been divided into sections, numbered I to IX, in order to facilitate the study of the play in nine class sessions. It is believed that these exercises will help to make foreign language patterns unconscious habits, to encourage linguistic and literary analysis, and to facilitate oral and written speech.

The Vocabulary includes the words of the *Noticia* by the author, the text, notes, and exercises, and is intended to be complete except for the usual omissions indicated in the explanation at the head of the section.

I wish to extend my sincere thanks to Rodolfo Usigli, who has been serving as Mexico's ambassador in Oslo, Norway, not only for permission to make this edition available to students of American colleges and universities, but also for help with several difficult matters during the preparation of the text. I should also like to express my appreciation to Mrs. Georgette Dupuy Caskie, Chairman of the Department of Foreign Languages at Hendrix College, Conway, Arkansas, for her helpful suggestions.

R. E. B.

August 1, 1961

Piezas de Rodolfo Usigli

EL APOSTOL—Comedia elemental en tres actos, 1930. Published in "Resumen," México, D. F., January–February, 1931.

FALSO DRAMA—Comedia en un acto, 1932. Unpublished.

QUATRE CHEMINS—Pieza en cuatro escenas, en francés, 1932. Unpublished.

TRES COMEDIAS IMPOLÍTICAS:

> NOCHE DE ESTÍO—Comedia en tres actos, 1933. First performed in the Teatro Ideal, Mexico City, July 6, 1950. Unpublished.
>
> EL PRESIDENTE Y EL IDEAL—Comedia sin unidades con un prólogo, tres actos divididos en diez y seis cuadros y un breve epílogo, 1934. Unpublished.
>
> ESTADO DE SECRETO—Comedia en tres actos, 1935. First performed in the Teatro Degollado, Guadalajara, México, 1936. Unpublished.

ALCESTES—Pieza en tres actos, 1936. (Mexican transposition of *Le Misanthrope*.) Unpublished.

MEDIO TONO—Comedia en tres actos, 1937. Published by Editorial Dialéctica, México, D. F., 1938. First performed in the Palacio de Bellas Artes, Mexico City, November 13, 1937. Filmed with Dolores del Río, 1957.

AGUAS ESTANCADAS—Pieza en tres actos, 1939. Published in "México en la Cultura," México, D. F., April–May,

1952. First performed in the Teatro Colón, Mexico City, January 18, 1952.

LA CRITICA DE LA MUJER NO HACE MILAGROS—Comedia en un acto, 1939. Published in "Letras de México," México, D. F., February, 1940.

CORONA DE SOMBRA—Pieza antihistórica en tres actos, 1943. Published by Cuadernos Americanos, México, D. F., 1943. Second edition, 1947. Third edition, 1959. Published as college text by Appleton-Century-Crofts, New York, 1961, Rex E. Ballinger, editor. First performed in the Teatro Arbeu, Mexico City, April 11, 1947. Revived at the Palacio de Bellas Artes, Mexico City, 1951. Broadcast in Spanish by BBC, London, September 15, 1945.

CROWN OF SHADOWS—An Antihistorical Play in Three Acts. Translation of CORONA DE SOMBRA by William F. Stirling. Published by Allan Wingate, London, 1947. Performed in English in Trenton, New Jersey, 1949 and at Texas Christian University, Fort Worth, 1953. Broadcast by the Goodyear Television Playhouse, New York City, February 17, 1952.

LA COURONNE D'OMBRE—Versión francesa del autor de CORONA DE SOMBRA, revisada. Published by A l'Enseigne du Chat qui Pêche, Brussels, 1948. Performed in French and Flemish in Belgium. Broadcast in French by Radio-diffusion Française.

EL GESTICULADOR—Pieza para demagogos, en tres actos, 1937. Published in "El Hijo Pródigo," México, D. F., 1943. Second edition appeared in "Ediciones Letras de México," México, D. F., 1944. Third edition published by Editorial Stylo, México, D. F., 1947. Published in "Teatro mexicano del siglo XX" by Antonio Magaña Esquivel, Fondo de Cultura Económica, México, D. F.,

1956. Published in "Teatro mexicano contemporáneo," by Aguilar, Madrid. Translated into English, French, German, Polish, Czech, and Russian. First performed in the Palacio de Bellas Artes, Mexico City, May 17, 1947. Read in French in the Théâtre des Nations, Paris. Produced under the title of THE GREAT GESTURE at the Hedgerow Theatre, Moylan, Pennsylvania, 1953. Produced in Los Juglares, Teatro Hispanoamericano, Madrid, December 12–14, 1957. Produced at the Teatro del Bosque and the Teatro Virginia Fábregas, Mexico City, 1961. Produced in Buenos Aires, 1961. Televised under the title of ANOTHER CAESAR by Studio One, New York City, October 26, 1953. Filmed with Pedro Armendáriz, 1960.

OTRA PRIMAVERA—Pieza en tres actos, 1938. Published by the Unión Nacional de Autores, México, D. F., 1947, in "Teatro mexicano contemporáneo." Second edition published by Editorial Helio-México, México, D. F., 1956. First performed in the Teatro Virginia Fábregas, Mexico City, 1945. Winner of second prize in English translations in the UNESCO drama contest, 1959. Translated under the title of ANOTHER SPRINGTIME by Wayne Wolfe, published by Samuel French, New York, 1961.

LA FAMILIA CENA EN CASA—Comedia en tres actos, 1942. Published by the Unión Nacional de Autores, México, D. F., 1942, in "Teatro mexicano contemporáneo." First performed in the Teatro Ideal, Mexico City, December 19, 1942.

VACACIONES—Comedia en un acto, 1940. Published in "América," México, D. F., 1948. First performed in the Teatro Rex, Mexico City, March 23, 1940.

LA ULTIMA PUERTA—Farsa en dos escenas y un ballet-intermedio, 1934–35. Published in "Hoy," México, D. F., 1948.

SUEÑO DE DIA—Radiodrama en un acto, 1939. Published in "América," México, D. F., 1949. First performed in the Radiophonic Theatre of the Secretaría de Educación Pública, Mexico City, April 14, 1939.

LA MUJER NO HACE MILAGROS—Comedia en tres actos, 1939. Published in "América," México, D. F., 1949. First performed in the Teatro Ideal, Mexico City, 1939.

MIENTRAS AMEMOS—Pieza en tres actos, 1937–48. Published in "Panoramas," México, D. F., 1956.

DIOS, BATIDILLO Y LA MUJER—Farsa americana en tres escenas, 1943. Unpublished.

LOS FUGITIVOS—Pieza en tres actos, 1950. Published in "México en la Cultura," México, D. F., 1951. First performed in the Teatro Arbeu, Mexico City, July 22, 1950.

EL NIÑO Y LA NIEBLA—Pieza en tres actos, 1936. Published in "México en la Cultura," México, D. F., 1950. Second edition published by Imprenta Nuevo Mundo, México, D. F., 1951. First performed in the Teatro del Caracol, Mexico City, April 6, 1951. Translated into English by the author. Filmed with Dolores del Río, 1953.

LA FUNCION DE DESPEDIDA—Comedia en tres actos, 1949. Published in "México en la Cultura," México, D. F., 1951. Second edition published in "Colección teatro contemporáneo," México, D. F., 1952. First performed in the Teatro Ideal, Mexico City, April 10, 1953.

VACACIONES II—Comedia en un acto, 1945–52. Published in "México en la Cultura," México, D. F., 1954.

JANO ES UNA MUCHACHA—Pieza en tres actos, 1952. Published by Imprenta Nuevo Mundo, México, D. F., 1952. First performed in the Teatro Colón, Mexico City, June 20, 1952.

UN DIA DE ESTOS ... —Fantasía impolítica en tres actos, 1953. Published by Editorial Stylo, México, D. F., 1957. First performed in the Teatro Esperanza Iris, Mexico City, January 8, 1954.

LA EXPOSICION—Divertimiento en tres actos, en verso. Published by Cuadernos Americanos, México, D. F., 1960.

CORONA DE LUZ—Pieza antihistórica en tres actos, 1960. Unpublished.

LA DIADEMA—Comedieta moral en un acto y tres escenas, 1960. Unpublished.

LAS MADRES—Fresco dramático en tres actos, 1949–60. Unpublished.

CORONA DE FUEGO—Pieza antihistórica en 2410 versos, 1961. Unpublished. First performed in the Teatro Xola, Mexico City, September 15, 1961.

UN NAVIO CARGADO DE ... —Comedia transatlántica en un acto y seis escenas, 1961. Unpublished.

EL TESTAMENTO Y EL VIUDO—Comedieta involuntaria en un acto, 1962. Unpublished.

NOTICIA

Escrita en 1936, esta pieza—de las primeras de R. U.— permaneció trece años manuscrita y guardada en un cajón por falta de un título adecuado que no llegó a tiempo a la cabeza del autor. Estuvo a punto de salir de la sombra a raíz del estreno, en 1937, de Medio tono;[1] *pero, er circunstancias ajenas a esa única, paradójica vegetación del teatro comercial de México que es la inercia, nunca llegó a ser leída a la actriz para quien, en rigor, fué concebida. Quizás haya sido esto lo mejor de su inseguro destino.*

Que ejemplifique o no la influencia de los poetas más autorizados en el tratamiento dramático del tema central— Strindberg e Ibsen—, como apuntó Cipriano Rivas Cherif, es cosa intrascendente. Todos los árboles sufren la influencia natural del verde sin perder por ello sus formas características de familia ni su matiz particular. Si, como afirma Seki Sano, es una pieza realizada con excesiva sobriedad y honradez, se trata de un punto que sólo podrá esclarecer una realización escénica igualmente honrada y sobria.

Quizás el único interés que El niño y la niebla *puede presentar para el estudioso de teatro se encuentre en la particularidad de que el tercer acto fué escrito antes que los dos primeros (III: 16 de febrero; I: 26 de febrero; II: 29 de febrero de 1936) y un tanto reajustado en 1949. Unicamente la representación podrá determinar la felicidad o infelicidad de este experimento, que el autor realizó con fines de estudio y disciplina a ejemplo de algún dramaturgo francés del siglo XIX; pero que desaconseja formalmente a los interesados en el oficio, tan objetivo como místico, tan visible como inasequible, de poeta dramático.*

México, 10 de enero de 1950.

R. U.

APOSTILLA

Esta edición de El Niño y la Niebla, *patrocinada por la Unión Nacional de Autores, entra en prensa en el momento mismo en que se celebra su ciento quincuagésima representación, y en que los empresarios del teatro El Caracol auguran con feliz sonrisa su arribo a la bicentésima. Fuera de la circunstancia de que ésta es la primera vez que tal cosa ocurre en lo que va del siglo —y los siglos anteriores no cuentan porque en ellos el funcionamiento de un sistema comercial en formación impidió toda pretensión en este sentido— tengo poco que decir, en realidad. Me ha intrigado, es cierto, pensar en cuál hubiera sido la reacción de la crítica y del público de la ciudad de México si alguna de esas fortuitas circunstancias que presiden la azarosa marcha del teatro me hubiera permitido llevar esta obra a la escena en la época en que fué escrita, es decir, hace quince años. Probablemente no me hubiera yo substraído a una seria vapuleada, o quizás hubiera logrado en un momento la reputación que me ha costado veinte años de trabajo constante y honrado conseguir. Como cada cosa tiene su propia forma, estoy contento de que todo haya pasado así.*

Se ha dicho muchas veces, en estos meses de febriles aplausos, que El niño y la niebla *es mi mejor obra, injustamente, según creo, para el resto de mi producción. También a George Bernard Shaw le aseguraron que* La profesión de Cashel Byron *era superior a* Hombre y superhombre, *y protestó agudamente. Una vez más, son los críticos y el público quienes establecen un absurdo paralelo entre una personalidad mundial de tan alto relieve como el poeta irlandés y un pobre autor mexicano cuyo único mérito, probablemente, consiste en no regatear ni opinión ni esfuerzo en su trabajo.* El niño y la niebla, *con toda su penetración en ciertas manifestaciones del alma, la sensibilidad y la mente humanas; con toda su mexicanidad nacida de una nostalgia en perspectiva de ausencia, no es sino un ejercicio de estudiante. Ejercicio riguroso, exhaustivo, a cuyo servicio se pusieron todo el entusiasmo y toda la energía de la juventud. Ejercicio profético y adivinatorio por cuanto, sin experiencia conyugal aún, pude internarme en los más oscuros rincones de la convivencia matrimonial y expresar el desgarramiento de los seres no identificados, que deshacen la vida en una mala inteligencia. Pero ejercicio, en suma. La idea de situar la acción en 1920 me vino de la obra de una compañera estudiante de la Universidad de Yale, Marion Hazard, quien había escrito* Decade *partiendo del momento de la muerte del presidente Harding. Como también México tenía presidentes que habían muerto, se trataba sólo de trasponer los términos geográficos y de situarnos en México. La anécdota central me fué relatada por una novia norteamericana en 1934. En la realidad, la madre del niño logró que éste diera muerte a su padre durante un lapso de sonambulismo, y sólo un jurado movido por la activa lengua-motriz de los abogados, logró poner en claro las cosas y condenar a la culpable.*

Por lo demás, confié mi idea, o, mejor dicho, el problema dramático planteado por la anécdota, a mi querido compañero de destierro y aprendizaje, Xavier Villaurrutia, que siguió el proceso con un heroico interés. Recuerdo, de paso, que la tarde que me encerré en mi habitación para empezar por el tercer acto, XV recomendó reserva y silencio a la mujer cubana que nos aseaba el departamento, y que se marchó a otra parte, logrando que ella saliera poco después, sin que yo me diera cuenta de nada, para dejarme en libertad de trabajar. Recuerdo, también, que cuando me senté ante mi mesa la claridad invernal del día era todavía visible, y que cuando me levanté, concluído el acto, había anochecido por entero. Como el niño, sentí frío entonces.

El tema de mayor interés a discusión entre XV y yo fué el relativo a la herencia psicopatológica de la madre y el hijo. Quizás el resultado obtenido en la duplicación de la catarsis y de la revolución o revelación, en el tercer acto, sea hijo exclusivo de mis conversaciones con Xaxier. El problema, colateral del tema, que él me planteó, lo fué en el sentido de que había que resolver la anécdota en términos de pasión y no de pisquiatría. También apostamos otra vez sobre la posibilidad de escribir sonetos que, teniendo metro endecasilábico y catorce versos, no sonaran a la convencionalidad musical y retórica del soneto español. En los dos casos aporté mi experimento, y creo que no defraudé a Xavier, pero que tampoco desilusioné al público.

Ha habido preguntas periodísticas acerca de cuál puede ser la razón del éxito sin precedentes de El niño y la niebla. *Ninguna obra mexicana de este siglo, como dije antes, pasó de ciento diez y ocho representaciones ('Educando a Mamá,' de Miguel Bravo Reyes y Luis Echeverría, en el Teatro Ideal). Ante la pregunta, he contestado que atribuyo el éxito a la circunstancia de que esta pieza pertenece, por esencia y por definición, al teatro de caracteres, y que para todos los públicos, pero en particular para el de México, tan apasionado aún por las* personalidades, *el teatro de caracteres constituye una fuente de interés primordial. Hay otras circunstancias, claro está: los escándalos que han rodeado mi nombre en los últimos veinte años, como actor, espectador, historiador y poeta creador dentro del teatro mexicano; los ataques y los elogios de la crítica, unas veces justificados y otras no; la repetición del extranjero nombre de Usigli —que tan mexicano ha llegado a ser— y que resulta tan chocolate Cailler para el público. Cualquiera que pueda ser la razón-eje —inclusive contar con un teatro establecido como el de Aceves y Arce, con todas sus virtudes de baño turco, y que es muy importante— lo cierto es que el triunfo nacional de* El niño y la niebla, *mejor que una satisfacción de orden personal, representa para mí un primer elemento de fe en el nacimiento de un teatro mexicano. Su conjunción con una actriz de la extraordinarísima calidad de Isabela Corona, a quien llamaría, si no temiera parecer europeizante, la Duse mexicana, y con todo un grupo de actores nuevos, cuyos vicios tienen siempre la virtud de ser personales y no de escuela ni de clase, es quizá la mejor explicación del imprecedido éxito de* El niño y la niebla. *Es evidente en todo caso que éste hace del teatro mexicano, para el que deseo muchos nuevos autores y un gran espíritu de competencia, un niño que, por fin, ha salido de la nebulosidad en que existía a medias.*

México, D. F., *17 de junio de 1951.*

POST-SCRIPTUM. *Descubro, al revisar las contrapruebas finales de esta edición, que, por haberme circunscrito al caso específico de* El niño y la niebla, *puedo dar la impresión de haber cometido una injusticia imperdonable y, lo que es peor, un acto de ingratitud.*

Aparte de la extraordinaria reacción del público, realmente sin precedentes en México, sólo circunstancias desfavorables, difíciles y aun francamente adversas rodearon en 1947 la presentación de El gesticulador, *que encontró en Alfredo Gómez de la Vega no sólo su creador escénico por excelencia, sino su más denodado paladín. Fué entonces en realidad cuando el teatro mexicano alcanzó vida propia, fuera del coloniaje español, de la imitación de lo francés y de la nueva moda de la imitación de los imitadores de lo francés: cuando nació, en suma. La fortuna mayor de aquella obra, anticipatoria, de la de esta pieza, consistió también y sobre todo en el encuentro con un intérprete excepcional. Si la burocracia rampante, el sindicalismo equivocado y otros mexicanísimos fenómenos (uso la palabra estrictamente en su connotación familiar de monstruos de feria) no hubieran colaborado en contra, me parece oco atrevido afirmar que* El gesticulador *seguiría todavía en cartel por la magnitud única de la interpretación igual que por la vitalidad de la pieza.*

En todo caso, como decía el pícaro concejal de Topacio, *"el honrado soy yo", ya que no a todos los autores mexicanos ha sido dado tener intérpretes de la calidad de Gómez de la Vega e Isabela —si bien no puedo menos que añadir que tampoco todos los actores nativos habrían podido interpretar esas obras ni correr el riesgo que es sombra fiel de la creación artística. Gracias a ellos, pues.*

17 de julio, 1951.

R. U.

AL MARGEN

Como todas mis piezas, y por circunstancias independientes de mí, *El niño y la niebla* tiene su historia, o sus historias, a más de los detalles relatados antes.

Retirada del cartel del Teatro Caracol en pleno éxito, después de ocho meses y cuatrocientas cincuenta representaciones sucesivas —primer caso en México y único hasta que traspusieron esa cifra obras trasladadas a diversos teatros de varias ciudades— parecía quedar condenada al silencio que, de costumbre, sucede a las grandes resonancias escénicas. Corrió un poco la provincia, con grupos no profesionales, y llegó a alcanzar reposiciones distinguidas, la principal con María Tereza Montoya, para quien en realidad había sido escrita. La salvó del silencio y la hizo conocer en varios países de Centro y Sud-América una actriz latinoamericana cuyo nombre callo en justa reciprocidad por no haber recibido nunca de su parte los nada despreciables derechos de autor que me correspondían.

Dolores del Río se interesó por interpretarla en el cine; lo hizo logrando una de sus más cimeras actuaciones, y la película ganó todos los Arieles (nombre del premio de la Academia Cinematográfica de México), menos el de autor. Por lo demás, el director y el adaptador de la película, atentos a las exigencias comerciales del productor, empezaron por cambiar el lugar y la época de la acción; luego eliminaron, casi en su totalidad, el diálogo de R. U., que no suele ser malo, y al fin modificaron la esencia del problema central. Movidos, según dijeron, por el recelo de que la actriz perdiera popularidad entre los públicos de los salones de cine de barriada, alteraron el personaje de Marta privándolo de sus líneas esenciales y de su tercera dimensión. En los días en que, entre ellos, discutían el guión o *script*, Dolores del Río me llamó por teléfono para preguntarme: «*Darling*, díme: ¿estoy loca?» Le aseguré que no, que el interés del carácter de Marta reside justamente en que hace todo lo que hace en plena posesión de su razón, pero la cosa no tuvo remedio. Productor, director y adaptador la volvieron loca, condenando a la vez a su pobre marido a pasar el resto de su vida cuidándola. De películas y de colores . . .

Otro infortunio de esta obra fué la resistencia de mi agente de Nueva York a tratar de colocarla en Broadway sobre el razonamiento de que podría considerársela peligrosa y de nociva influencia para la juventud. Parece cosa absurda en un teatro mayor de edad en el que ha habido piezas como *The Children's Hour*, *Dead End* y tantas más sobre insania, criminalidad juvenil y taras psicopatológicas en la adolescencia, e inconsistente como argumento si se piensa que Hollywood mismo ha producido, entre otras películas de esta línea, una escalofriante versión de *The Turn of the Screw*. A consecuencia de esto, la vida escénica en inglés de esta pieza (*The Boy and the Mist*) se limita hasta hoy a una representación, como prueba de examen de un estudiante de dirección de la escuela del Pasadena Playhouse.

Revivida once años después de su estreno en un teatro de México, D. F., la pieza pudo gozar de una excelente acogida del público y de un elogio unánime de la crítica. «Caracteres sólidos, problema universal, universalidad resultante de su propia calidad mexicana,» etc. Ha pasado a ser, con *El gesticulador* y *Corona de sombra*, otra obra «clásica» del teatro mexicano. ¿Qué puede decir el hombre que sólo la escribió? Los estudiantes universitarios de Estados Unidos tienen la palabra.

RODOLFO USIGLI

Oslo, 11 de noviembre, 1962

PERSONAS

MARTA

GUILLERMO ESTRADA, *su esposo—42 años*

DANIEL, *hijo de ambos—15 años*

MAURICIO DÁVILA—*37 años*

JACINTA, *criada vieja*

FELIPE—*14 años*

EL PROFESOR BENÍTEZ

EL DOCTOR

EL NOTARIO

Varios muchachos de 12 a 15 años

Hombres y Mujeres vestidos de duelo

La acción en Durango. 1920.

Lugar: la sala en la casa de GUILLERMO ESTRADA.

EL NIÑO Y LA NIEBLA fué estrenada en la ciudad de México por PROA, Compañía Mexicana de Comedia, en el Teatro del Caracol, el día 6 de abril de 1951, bajo la dirección de José de J. Aceves, con escenografía de Julio Prieto y diseños de vestuario para Isabela Corona de Antonio López Mancera, con arreglo al siguiente reparto:

MARTA—*Isabela Corona*
GUILLERMO ESTRADA—*Francisco Muller*
DANIEL—*Carlos Vázquez*

MAURICIO DÁVILA—*Rolando San Martín*
JACINTA—*Magda Monzón*
FELIPE—*Hernán de Sandozequi*
EL PROFESOR BENÍTEZ—*Alejandro Encinas*
EL DOCTOR—*Armando Katani*
SEÑORA PRIMERA—*Hilda Anderson*
SEÑORA SEGUNDA—*Aurora Parkman*

ACTO PRIMERO

/\

[I]

La sala de una familia acomodada, de provincia. Alta, espaciosa, fría; pocos adornos, fuera de las molduras habituales. Una luz deslucida y manchada es el ambiente en que los personajes se mueven. Dos puertas al fondo, a izquierda y derecha. Aunque ambas dan sobre el mismo corredor, usarán la de la izquierda todas las personas que entran de la calle—por ser la más próxima a ella—, en tanto que la de la derecha se considerará como una comunicación para llegar a las demás habitaciones de la casa. Entre las dos puertas, un piano vertical, rebarnizado de negro, con cierta sugerencia de ataúd en su desnudez; sus candelabros están vacíos, y los floreros que soporta, sin flores. Un gran balcón a la izquierda, que debe ser perfectamente visible, y que corresponde a una de las dos calles en que hace esquina la casa. La cuarta pared sería el exterior de la casa, por la otra calle, con dos balcones, según la moda arquitectónica que priva de modo general en la provincia desde el siglo XIX. Por el balcón de la izquierda se distingue la silueta de una iglesia vecina. En él y en las puertas, cortinajes, apartados y mal sujetos, de un violeta ceniciento, como el tapiz de los muebles, y que en ellos parece más devastado y comido que en el sofá y los sillones que se encuentran en primer término derecho, en las sillas que flanquean el balcón, o en el gran sillón que figura en primer término izquierdo y cerca del cual hay una veladora. Los muebles son de madera oscura, de un estilo Chippendale traducido en términos mexicanos. Al centro, una mesa redonda. Bajo el tapiz violeta, más apagado que los otros, se alcanza a ver el tripié de metal que sostiene la plancha de jaspeado mármol. A ambos lados de la mesa, dos sillas del mismo estilo que las otras. A los pies del piano, y en las puertas, grandes caracoles de desteñidas rosas. Un espejo a la derecha, al centro de la pared; arriba del piano, una reproducción, demasiado grande, del Gran Caballero de Alberto Durero. En el rincón de la derecha, un librero despoblado, en el que hay cuadernos de música y una pieza de porcelana, rota. En el rincón izquierdo, una rinconera que juega con el resto del mobiliario. Cerca del balcón, en segundo término izquierdo, un posible retrato de familia, en amplificación. Toda la sala parece empolvada, desmayada.

Son las ocho de la noche del 21 de mayo de 1920. La escena está iluminada por una lámpara de petróleo, del tipo quinqué. MARTA, sentada junto a la mesa, hace labores de costura mientras JACINTA, cerca de ella, habla.

JACINTA: Son las cosas de la revolución, niña. Primero don Jesús, y ahora don Venustiano.[2] Quién lo iba a pensar cuando era gobernador de Coahuila, que fué cuando yo le conocí. Tenía unas barbas preciosas. Eramos jóvenes los dos entonces.
MARTA: ¿No ha llegado Daniel, Jacinta?
JACINTA: Vino como a las seis. No quiso merendar, y luego se fué con unos libros. (*Vuelve a su tema.*) Y ahora quién sabe qué vaya a pasar con esto. Ya ve usted de lo que vale ser Presidente: lo matan a uno lo mismo. (*Pausa.*) Tan guapo que era don Venustiano.
MARTA: ¿No volverá la luz, Jacinta?
JACINTA: Pues quién sabe. Dicen que es una descompostura muy grande. A lo mejor nos quedamos así una semana.

Parece que ni pasa el tiempo; estamos como en los días de la revolución, niña.

MARTA (*En blanco*): Sí. (*En la iglesia suenan las ocho.*) Las ocho ya.

JACINTA: ¡Válgame! Y yo aquí habla y habla. Voy a preparar la cena para don Guillermo.

MARTA: Sí. (*Mutis* JACINTA *por la derecha.* MARTA *sigue cosiendo un momento. Luego deja la costura con un gesto de disgusto. Entra* GUILLERMO.)

GUILLERMO: ¿Sin luz otra vez? (MARTA *no contesta.*) Creí que nada más habría sido en la calle. No sé cómo voy a trabajar en estos planos ahora. (*Tira un paquete sobre un sofá.*) ¿Dónde está Daniel?

MARTA: No sé. (*Reanuda su costura.*)

GUILLERMO: No me gusta que ande en la calle a estas horas.

MARTA: Yo le di permiso. Parece que no te das cuenta de que ya tiene quince años.

GUILLERMO: Mañana. No debiste permitirle . . .

MARTA: No voy a tenerle encerrado aquí, pegado a mis faldas todo el tiempo. Además, los niños necesitan aire.

GUILLERMO: No en la noche.

MARTA: No quiero discutir, Guillermo.

GUILLERMO: Yo tampoco. Y, sin embargo, debería decirte . . .

MARTA: ¿Qué?

GUILLERMO: Nada. (*Se sienta. Ella se encoge de hombros y sigue cosiendo.*) Se acabó Carranza. (MARTA *no contesta.*) ¿Lo sabías?

MARTA: ¿Qué?

GUILLERMO: Que mataron a Carranza.

MARTA: ¡Ah! Sí.

GUILLERMO: No te importa, ¿verdad? Naturalmente, nada te importa. No te importó tampoco cuando mataron a Madero.[3]

MARTA: No.

GUILLERMO: También yo estuve a punto de morir entonces. Nunca he podido entender tu falta de curiosidad. Estás siempre en otro mundo. ¿No te das cuenta de lo que significa para mí la muerte de Carranza?

MARTA: ¿Qué?

GUILLERMO: Nada. (*Pausa. Se levanta.*) El viejo nunca nos perdonó a los maderistas puros—ni nosotros a él. Quienquiera que venga a gobernar en su lugar, su muerte significa que podemos volver tranquilamente a México. Podré conseguir un empleo mejor.

MARTA: ¿Para qué?

GUILLERMO: Además, es tiempo de que Daniel vaya a hacer su preparatoria allá.[4] Aquí la enseñanza es muy lenta.

MARTA: No tenemos ninguna necesidad de ir a México. ¿No estamos bien aquí?

GUILLERMO: ¿Aquí? Si me vieras vivir te darías cuenta de que me ahogo en este pueblo, de que hace años que estoy ahogándome en la provincia. En vez de ser un gran arquitecto, soy casi un albañil, un ingeniero de tuberías y desagües.

MARTA: Es bastante para vivir. No necesitamos más. ¿Me quejo acaso? ¿Te he dicho que me falte algo?

GUILLERMO: Todos los días este panorama: iglesias por todos los balcones, cerros, edificios de otro tiempo. No, no me has dicho que te falte nada; pero tampoco me has preguntado si nada nos falta a Daniel y a mí.

MARTA: Tú, tú y él. Eso es todo lo que cuenta en esta casa.

GUILLERMO: No quiero pelear, Marta, pero no lo entiendo. ¿Cuánto tiempo hace que no vas a México? Creo que la última vez fué hace dos años . . . Sí, eso es; con motivo de la muerte de tu madre. ¿No es verdad?

MARTA: No necesitas recordármelo. Lo sé.

GUILLERMO: No he querido . . . lastimarte. Perdóname. Pero ¿no sientes deseos de vivir en otro medio, de vestir mejor, de ver otras caras?

MARTA: No me interesa; no lo necesito. ¿Me encuentras mal vestida? ¿Te hago quedar mal con tus amigos?

GUILLERMO: No he querido decir eso. Además, sé que no tenemos dinero suficiente, pero en México será distinto, Marta. Estoy seguro de que alguno de mis amigos tendrá un buen puesto, y entonces ganaré lo doble, lo triple que aquí. Hasta podré construir un edificio; tú sabes que lo he deseado toda mi vida. Y piensa en lo que un ambiente mejor significa para Daniel. Aquí todo es viejo, Marta: las casas, las iglesias, la religión—ni siquiera es antiguo; es viejo, entiende.

MARTA: Es tranquilo. Si tan grande es tu interés por Daniel, piensa que en México tendría mayores tentaciones: se te echaría a perder.

GUILLERMO: Hablas de él como si no fuera tu hijo.

MARTA: A veces me pregunto si nació de mí. En mis recuerdos más lejanos le veo siempre contigo—los dos en contra mía.

GUILLERMO: No es verdad, Marta. No te entiendo.

MARTA: Nunca me has entendido.

GUILLERMO: Nunca me has explicado nada de ti.

MARTA: Justamente.

Un silencio.

GUILLERMO: No debiste permitir a Daniel que saliera a estas horas.

MARTA: No salió a estas horas, salió a las seis.

GUILLERMO: En todo caso, pudiste decirle que regresara temprano. (MARTA *no contesta.*) Estoy seguro de que anda nuevamente con ese muchacho Luis, y no me gusta; es una mala compañía. (MARTA *no contesta.*) ¿Me oyes?

MARTA: Sí.

GUILLERMO: No lo parece. No debes permitirlo, Marta. Luis es un chico de malas costumbres, y Daniel . . .

MARTA: ¿No podemos hablar de otra cosa?

GUILLERMO (*Con lentitud y tristeza, pero sin rencor*): Temo que no, Marta. Nuestros temas de conversación han ido desapareciendo uno por uno en estos años.

MARTA (*Con rencor*): Antes no hablabas más que de tus planes—lo que querías ser, lo que querías hacer, en la política, en la arquitectura.

GUILLERMO: ¿Para qué remover todo eso? Tú te encargabas de desbaratármelos siempre.

MARTA: Porque eran absurdos. ¿Ya no tienes planes ahora?

GUILLERMO: No para mí.

MARTA: Ya sé—para Daniel. Y me los ocultas porque tienes miedo de que los desbarate yo.

GUILLERMO: No los oculto. Te he dicho ya que quiero ir a México, y tú me has dicho que no quieres ir. Pero no creas que me has deshecho también ese proyecto; iremos a México. Daniel lo necesita para su crecimiento.

MARTA: Espero no volver a México mientras viva, Guillermo.

GUILLERMO: ¿Por qué razón?

MARTA: Todas—ninguna. No quiero, Guillermo; te repito que estoy bien aquí.

GUILLERMO: Así siempre, desde que nos casamos. Nunca un motivo, una razón concreta. Al principio creía yo que era el arrebato, la pasión, lo que te hacía obrar de ese modo; pero he aprendido a conocerte mejor. Sé que todo lo razonas, que eres incapaz de una pasión.

MARTA: Ya sé en lo que piensas al decir eso. Tú, ¿qué sabes? Soy incapaz de esa pasión en que estás pensando, pero no de otras más—naturales.

GUILLERMO: No sé lo que quieres decir.

MARTA: Sí lo sabes—no me obligues a hablar.

GUILLERMO: No digas nada. Sientes así porque no me quieres —porque nunca me has querido. Tardé en verlo, pero me he dado cuenta clara al fin. Y creo que yo tampoco te quiero ya, Marta; pero no es la falta de amor lo que nos hace vivir esta vida tan oscura. Es la falta de confianza, de conversación, de afecto.

MARTA: ¡Afecto! ¿A *eso* llamas afecto?

GUILLERMO: No quieres entenderme; pero piensas en ti mientras yo pienso que nos falta un interés común. Si tú quisieras a Daniel . . .

MARTA: ¿Por qué le apartas tú de mí? Le inculcas sentimientos de indiferencia, de desconfianza.

GUILLERMO: No es verdad, Marta.

MARTA: ¡Oh, sí!

GUILLERMO: No es verdad. (*Tembloroso.*) En Daniel, en mi hijo, yo respeto toda la niñez, toda la pureza, toda la inocencia. Pero él ve, él oye nuestra vida, y se da cuenta de que tú no me quieres y de que no le quieres. Eso es todo.

MARTA: Eres tú quien se lo dices.

GUILLERMO: Nunca me has conocido, Marta, nunca te has interesado por conocerme; si me oyeras . . . ¿Para qué? No hay solución.

JACINTA (*En la puerta derecha*): Ya está lista su merienda, señor Guillermo.

GUILLERMO: Gracias, Jacinta. ¿Merendó Daniel?

JACINTA: No—no más la niña Marta.

GUILLERMO: En ese caso creo que esperaré a Daniel.

JACINTA: Aquí viene, señor.

[II]

Entra DANIEL, *por la izquierda. Quince años; pálido, delgado, menudo, con ojos muy grandes y cabellos revueltos, pero lacios. Su voz está cambiando. A veces habla fino y fresco como un niño; otras su voz se ensombrece, es ronca y opaca, desagradable. Deja caer su gorra y unos libros en el banco del piano.*

GUILLERMO: Buenas noches, Daniel.

DANIEL: Buenas noches, papá.

GUILLERMO: Te esperaba para merendar.

DANIEL (*Niño*): No tengo hambre, papá.

JACINTA: Ya has de haber estado comiendo golosinas en la calle, niño, echándote a perder el estómago.

DANIEL (*Sombrío*): No quiero que me hable de tú, papá.

GUILLERMO: No digas tonterías. Jacinta ha estado con nosotros la mitad de tu vida, te conoció muy pequeño. ¿No te acuerdas de cuando te llevaba en brazos a tu cama?

DANIEL: No; pero no quiero que me tutee.

MARTA: Tiene razón. Se empeñan en disminuirle, en considerarle como a un bebé: ya es casi un hombre. Trátele de usted desde ahora, Jacinta.

JACINTA: Está bien, niña.

MARTA: Y vaya usted a poner su cubierto en la mesa.

JACINTA *sale.*

GUILLERMO: Sí. Casi un hombre. ¿Qué día es mañana, Daniel?

DANIEL (*Sentándose, cansado*): No sé.

GUILLERMO: Veintidós de mayo, hijo. ¿Quién cumple años mañana?

DANIEL: De veras—yo.

GUILLERMO: Justamente. Tengo una pequeña sorpresa para ti; pero antes quiero preguntarte algo. ¿Has estado otra vez con Luis?

DANIEL (*Desequilibrándose*): No es cierto.

GUILLERMO: No necesitas gritar. Contéstame: ¿has estado otra vez con él?

DANIEL: No, no, ¡no!

GUILLERMO: Comprende, hijo, que no es un simple capricho, ni un deseo de molestarte lo que me hace aconsejarte que evites la amistad de ese muchacho. Es demasiado grande para ti; tiene mala fama. Ahora, sin perder la compostura, respóndeme, dime la verdad: ¿has estado con Luis?

DANIEL (*Furioso*): Ha de haber sido ese Mauricio el que te lo dijo.

GUILLERMO: Nadie me ha dicho nada, Daniel.
DANIEL: Sí, sí, él fué el único que pasó por donde estábamos . . . (*Se detiene.*)
GUILLERMO: Entonces, ¿estuviste con Luis?
DANIEL (*Baja los ojos*): Sí.
GUILLERMO: Te suplico que sea la última vez.
DANIEL: Está bien, papá.
MARTA: Has repetido ya cien veces esta escena ridícula, Guillermo. Yo no veo nada de malo en que Daniel tenga amigos mayores que él.
DANIEL (*Niño*): ¿Verdad que no, mamá?
GUILLERMO: Generalmente no es bueno; pero en el caso específico de Luis, es malo. Sé lo que digo, Marta. Te ruego que no desconcertemos a Daniel con opiniones contradictorias. Yo mismo he visto a Luis haciendo cosas que no hace un muchacho decente.
MARTA: Es que no soporto la repetición de las cosas; has dicho lo mismo hasta el cansancio, y lo único que consigues es que Daniel se haga hipócrita y te mienta.
GUILLERMO: Por favor, Marta.
DANIEL: Yo no soy hipócrita, mamá.
MARTA: Pero tu padre te obliga a serlo con esas cosas.
GUILLERMO: Daniel, mañana cumplirás quince años; eres casi un hombre, hijo mío. Quiero que me des tu palabra de que no volverás a andar con Luis.
DANIEL: Pero, ¿qué mal hay en que yo tenga amigos? Todos los muchachos los tienen.
GUILLERMO: No generalices. Se trata sólo de Luis. Me apena que tengas una mala amistad, hijo. Te lo aconsejo por tu bien. ¿Me das tu palabra de hombre?
MARTA: ¿Cómo quieres que proceda como un hombre si le tratas como a una criatura? Eres incongruente.
GUILLERMO: Por favor, Marta. Daniel . . .
DANIEL: (*Fastidiado*): Está bueno, papá.
GUILLERMO: ¿Tengo tu palabra?
DANIEL: Sí.

GUILLERMO (*Grave*): Gracias, Daniel. Ahora mira lo que recibí de México para ti.
DANIEL: ¿Qué?
GUILLERMO (*Saca del bolsillo un estuche de grafios, lo abre y se lo tiende*): Esto.
DANIEL (*Desencantado*): ¡Ah! ¿No es más que eso?
GUILLERMO: ¡Cómo! ¿Así lo recibes después de que durante un mes no has hablado de otra cosa? ¿No lo quieres?
DANIEL (*Vago*): No sé . . . sí.
GUILLERMO: Dime qué es entonces lo que deseas.
DANIEL: No lo sé.
GUILLERMO (*Triste*): Vamos a merendar. (*Se levanta. Mutis por la derecha.* DANIEL *va a seguirle cuando* MARTA *le detiene.*)
MARTA: Daniel . . .
DANIEL: Mande, mamá.
MARTA: Si tu padre te preguntara si yo te di permiso de salir, le dirás que sí. Yo se lo dije.
DANIEL: Pero no es verdad.
MARTA: Prefiero que se enoje conmigo.
DANIEL (*Acercándose*): Gracias, mamá. (*Le toma la mano.*)
MARTA: No necesitas besarme por eso. (*Se domina.*) No quiero que te traten como a un niño, Daniel. Eso es todo. Ya sé que tu padre te dice que yo me opongo a que tú hagas ciertas cosas . . .
DANIEL: No, mamá, nunca me ha dicho . . .
MARTA: Yo lo sé mejor que tú; pero no lo creas. Siempre que quieras salir, hazlo, y cuando necesites dinero, dímelo.

Se oye llamar al zaguán.

DANIEL (*Transfigurado un momento*): ¡Oh, gracias, mamá! (*La besa antes de que ella pueda defenderse.*) Precisamente quiero . . .

Entra MAURICIO. *Tiene treinta y siete años; es un provinciano acomodado, sin ocupación definida, pulido por algún viaje a Europa y por lecturas francesas, pero siempre el payo. Es moreno, de facciones agradables, de cuerpo ágil, de acento franco. Lleva ropa de figurín citadino pero cortada por el sastre de la provincia. No hace esfuerzo alguno por no parecer payo o por parecer un hombre de mundo; uno y otros aspectos alternan en él naturalmente, sin rebuscamiento.*

MAURICIO: Buenas noches.
MARTA: Buenas noches, Mauricio.
MAURICIO: ¿Qué hay, Daniel?
DANIEL (*Seco*): Nada. (*Inicia el mutis.*)
MARTA: Un momento, Daniel... ¿qué ibas a decirme? ¿Qué es lo que quieres?
DANIEL: Nada, mamá. (*Sale por la derecha.*)
MAURICIO: No me quiere Daniel.
MARTA: No le haga usted caso. Está en la edad antipática.
MAURICIO (*Bajando la voz*): Me gustaría que todo lo que es tuyo me quisiera.
MARTA: No seas indiscreto.
JACINTA (*Entrando por la derecha*): Señor Mauricio, dice el señor Guillermo que si quiere usted pasar al comedor a tomar algo...
MAURICIO: No, gracias. Dígale que le esperaré aquí, platicando con la señora.
MARTA: Pero puede usted tomar una taza de café. Sí, sí. Jacinta, hágame favor de traérsela. (*Mutis* JACINTA. MARTA *sigue en voz baja*): ¿Ya ves? Estuvo a punto de darse cuenta.
MAURICIO: A veces quisiera que se diera cuenta todo el mundo. Quién sabe si así te decidieras a concederme algo de ti. No es posible seguir viviendo de este modo.

Entra JACINTA *con el café.*

MARTA: Es verdad, con estos sobresaltos de la política. Ahora le tocó a Carranza. ¿A quién le tocará después?

MAURICIO: Gracias, Jacinta.

JACINTA: De nada, señor Mauricio. (*Mutis.*)

MARTA: Dos veces ya, ¿lo ves? No, no es posible. Estoy cansada de contenerme, de callar. Yo también quisiera gritarlo a veces, Mauricio.

MAURICIO: Te he pedido muchas veces que nos vayamos —¿de qué tienes miedo? Guillermo no se atrevería a hacer nada.

MARTA: No me daría el divorcio nunca. Y yo no puedo ser más que tu esposa, Mauricio.

MAURICIO: Demasiado lo sé; pero lo que no sé es si podré resistir más tiempo sin ti. Me paso las noches en vela, pensando en ti, en lo que podría ser nuestra vida. A veces creo que no me quieres, porque no me concedes nada; después comprendo que tienes razón, y yo también te quiero para mi esposa. Pero ¿cuándo? ¿Cuándo?

MARTA: Viene alguno. ¿Ha recibido usted algún nuevo libro?

MAURICIO: *El Infierno* de Barbusse,[5] que me mandaron de París, y unos poemas de López Velarde,[6] que he traído para que los veamos.

Entra DANIEL, *toma un libro del librero y se dispone a salir.*

MAURICIO: Oye, Daniel. (DANIEL *no contesta y va a hacer mutis, cuando interviene* MARTA.)

MARTA: Daniel, te habla Mauricio.

DANIEL (*Seco*): Mande.

MAURICIO: Tengo un regalito para ti. No se me ha olvidado que mañana cumples años. Aquí tienes.

DANIEL (*Receloso*): Gracias. (*Toma el paquete y lo deja sobre la mesa.*)

MARTA: ¿A ver? Enséñame qué es, Daniel. (DANIEL *toma el paquete de la mesa y lo desenvuelve de mala gana.*) ¡Una pluma fuente! ¡Es preciosa, Daniel!

DANIEL (*Momentáneamente arrebatado*): ¡Oh, muchas gracias!

MAURICIO: Y además, te tengo una buena noticia, Daniel.
DANIEL (*De nuevo en guardia y seco*): ¿Qué?
MAURICIO: Ya se alivió el potro bayo. Cuando quieras montar, avísame.
DANIEL: Está bien. (*Sale y vuelve a entrar en seguida.*) Mamá, ¿podría yo ir a montar mañana, en vez de ir a la escuela?
MARTA: Sí, Daniel. No necesitas decírselo a tu padre; yo te doy permiso.
DANIEL: Gracias, mamá. (*Sale corriendo.*)
MARTA: Es igual a su padre. Gracias por el cariño que le demuestras.
MAURICIO: Es tuyo—por eso siento como si fuera mío.
MARTA: ¡Sería tan distinta la vida a tu lado!
MAURICIO: No tienes más que decir una palabra. ¿Cuándo? ¿Cuándo?
MARTA: ¡Oh, cállate! ¡Cállate! Enséñame esos poemas. ¿Cómo se llama el libro?
MAURICIO: *Zozobra*.[7] A veces entiendo muy bien los poemas, pero me agarran—como tú, Marta. A ti tampoco te entiendo y me tienes sujeto . . . sin darme nada. A veces quisiera no quererte.
MARTA: ¡Cállate!
MAURICIO: Mira estos versos: parecen hechos para tí:

> *Los adioses baldíos*
> *a las augustas Evas redivivas*
> *que niegan la migaja, pero inculcan*
> *en nuestra sangre briosa, una patética*
> *mendicidad de almendras fugitivas.*[8]

Tú me niegas hasta una migaja, y yo me paso la vida pensando en ti.
MARTA: Guillermo viene.
MAURICIO: No oí nada.

MARTA: Yo sí. Conozco sus pasos hasta en sueños; los oigo sonar en mi cabeza. Hay que hacer algo; pero ¿qué?

Entra GUILLERMO.

GUILLERMO: Buenas noches, Mauricio.
MAURICIO: ¿Qué tal, hombre? ¿Qué le parece lo de don Venus?
GUILLERMO: Nunca le quise personalmente, pero lo siento. Ya él pagó su cuenta. (DANIEL *entra, permanece un momento y vuelve a salir.*) Lo que es más grave es que no vale de nada la investidura de primer magistrado. Parece que estamos en novecientos trece todavía. ¿Cuándo vamos a tener orden y paz?
MAURICIO: Pero él solo se lo buscó por querer imponer a Bonillas.[9] El gobierno de México no es para civiles, convénzase: es para militares.
GUILLERMO: Nunca, Mauricio; lo que necesitamos son civiles ilustrados. Don Pancho Madero tenía razón, y yo sigo profesando sus ideales. Por lo demás, la muerte de Carranza me beneficia en lo personal. Por cierto que quiero hacerle a usted juez en ese punto.
MAURICIO: Usted dirá.
MARTA: ¿Ya vas a volver a lo mismo, Guillermo?
MAURICIO: ¿De qué se trata?
MARTA (*Levantándose*): ¡Oh, la repetición de todo, de todo, de todo! Es intolerable.
GUILLERMO: ¿Por qué te excitas así?
MARTA: Sabes que me irrita oír siempre lo mismo. ¿No hay nada más de qué hablar? Mejor léanos esos poemas, Mauricio.
MAURICIO: Pero, en fin, hay que oír de qué se trata, Marta.
GUILLERMO: Mientras Carranza estuvo en el poder, los maderistas puros no tuvimos ninguna posibilidad de . . . (MARTA *sale bruscamente.*) ¡Marta! (*Permanece pensativo un momento.*)

MAURICIO: ¿Por qué se fué?

GUILLERMO: Usted sabe cómo son las mujeres.

MAURICIO: Sí, pero . . .

GUILLERMO: Marta es más desconcertante que otras; no la entiendo. No quiere oír hablar de regresar a México.

MAURICIO: ¿A México? ¿Por qué?

GUILLERMO: Porque ahora que han matado al viejo, ni mis amigos ni yo tendremos obstáculo para hacernos de un buen empleo. La situación cambia totalmente: no sólo podré quedar bien, sino—quién sabe—hasta volver a la política.

MAURICIO (*Alterado*): Y Marta, ¿qué dice?

GUILLERMO: No quiere volver a México. Antes tuvimos una discusión con ese motivo, y ahora ya ve usted cómo se puso.

MAURICIO (*En blanco*): Sí.

GUILLERMO: Yo tengo razones para desearlo, Mauricio. Mejoraría económicamente; podría dedicar algún tiempo a desempolvar mis proyectos de arquitectura, y hasta dirigir algunas construcciones. Ha sido el sueño de toda mi vida, y aquí es imposible realizarlo por ahora.

MAURICIO: Pues aquí tenemos buena necesidad de nuevos edificios.

GUILLERMO: Pero nadie se decide a hacerlos; es necesario que sople el viento desde la capital, que es donde se ganan las revoluciones, donde se inician los nuevos impulsos.

MAURICIO: ¿Luego usted no cree en nuestra provincia? ¿No ha hecho revoluciones? ¿No es sana y trabajadora?

GUILLERMO: Yo soy de México, Mauricio. No desprecio al interior. Conozco casi toda la República; pero creo que nada puede iniciarse aquí, que la vida provinciana no es sino el eco de la voz que se oye en la gran ciudad. ¿Por qué, si no, van allá todos los valores de la provincia? Y a mí me tira; mi sueño es vivir allí, educar a Daniel en un ambiente más amplio, en escuelas donde no haya olor de sacristía. Además, mi sueño es construir en México. Usted ha estado allí y en Europa, ha visto las diferencias que hay, puede comprender.

MAURICIO: Comprendo que México es un pueblo más grande que éste; pero no puedo comprender más porque mi vida y mis intereses están aquí. México está aquí. La capital casi no es mexicana. Y no me explico cómo, con tantos años como lleva usted entre nosotros, no se ha encariñado con estas piedras, con esta tierra. La gente se va de aquí, rumbo a México o rumbo a Europa; pero vuelve a esta paz, como volví yo. Y comprendo mejor la actitud de Marta, que la de usted. Aquí es donde voy a construir.

GUILLERMO: Y ser segunda parte siempre. No, Mauricio. Tengo cuarenta y dos años y no he podido hacer nada. Cierto que la revolución es, en parte, causa de muchos fracasos, porque para contribuir al progreso del país, muchos hemos tenido que posponer nuestras ambiciones personales. Pero ahora ya no puedo perder mi tiempo. Tengo que hacer algo de lo mucho que he deseado, y el camino está en México. También necesito que Daniel tenga todas las facilidades para que llegue a ser el gran arquitecto que no pude ser yo. Estoy decidido.

MAURICIO: Pero, Marta . . .

GUILLERMO: Ya ve usted que yo tengo razones vitales. Podrá usted o no sentirse de acuerdo con ellas, pero no puede dejar de comprender lo importantes que son para mí.

MAURICIO (*Esforzándose*): Es cierto.

GUILLERMO: Pero Marta no tiene ninguna razón . . . o por lo menos, me la oculta. Se limita a decir que no quiere ir a México. Eso es todo.

MAURICIO: Y esa actitud, ¿es reciente?

GUILLERMO: No. Nunca ha querido volver a México.

MAURICIO: ¿Nunca?

GUILLERMO: No. ¿Quiere usted hablar con ella? Usted es

nuestro amigo, por eso no dudo en revelarle nuestros disentimientos. Quién sabe si se decida a franquearse con usted. Me es penoso dejarle ver de este modo que no somos un matrimonio unido, ideal; pero confío absolutamente en la amistad de usted.

MAURICIO: Yo creía que era una cosa nueva en ella, esa repugnancia por la capital. Me sorprende saber que data de tan largo tiempo.

GUILLERMO: Desde que nos casamos. Confío, pues, en usted, Mauricio.

[III]

Entran MARTA *y* DANIEL.

MARTA: Espero que ya hayan terminado de hablar de esas cosas. Discúlpeme usted por haberme dejado llevar por la impaciencia, Mauricio.

MAURICIO: No tiene importancia, Marta.

GUILLERMO: Ninguna. Mauricio comprende mejor que nadie . . .

DANIEL: ¿De qué se trata? ¿Por qué hacen tanto misterio?

MARTA: Tú deberías ir a acostarte ya, Daniel.

GUILLERMO: Sí. Pareces cansado, hijo.

DANIEL: Pero si no tengo sueño.

MARTA: Recuerda que tienes que levantarte temprano.

DANIEL: ¿Temprano? ¡Ah, sí! Para ir a montar.

GUILLERMO: ¿A montar?

MAURICIO: Conmigo. Tengo un potro manso, y es un magnífico ejercicio.

DANIEL: Mamá no quería que te lo dijera yo, pero . . .

GUILLERMO: ¿Por qué razón? Es cierto que no tengo mucha confianza en tu habilidad de jinete, hijo; estás flaco y no tienes muchas fuerzas . . .

MARTA: No necesitas humillarle de ese modo.

GUILLERMO: Daniel sabe que no es ésa mi intención.

DANIEL: Es verdad. Siempre me dices que yo no puedo hacer las cosas.

GUILLERMO: Las cosas físicas, hijo mío. Tú vives y trabajas con tu cabeza; ya es bastante para que tengas que ser, además, un atleta. Estoy seguro de que un ejercicio moderado te sentaría muy bien, por lo demás; pero me parece atrevido que montes a caballo. Podrías caerte, recibir un mal golpe . . .

DANIEL: No, no me caeré, papá. Palabra.

GUILLERMO: Además, no tienes traje de montar.

MAURICIO: Estoy seguro de que están haciendo ustedes una tempestad en un vaso de agua. La ropa de mi sobrino servirá perfectamente para el caso, y en cuanto al golpe, todavía no se lo ha dado, ni se lo dará puesto que vamos a salir juntos y yo cuidaré de que no le pase nada.

DANIEL: Pero yo no necesito que nadie me cuide. Soy lo bastante grande ya para saber . . .

GUILLERMO: No es ésa la mejor manera de contestar a quien te hace una invitación, hijo. Puedes salir con Mauricio mañana. Entretanto, debes acostarte.

DANIEL: Tengo que hacer una tarea para la escuela todavía.

GUILLERMO: Pues date prisa. En cuanto a mí, necesito trabajar en estos planos. (*Los recoge.*) Espero que me excuse usted, Mauricio. No, no se marche. Quédese a charlar un poco con Marta. (*Mutis por la derecha.*)

MAURICIO: Entonces, a las siete vendrá Pedro a recogerte, Daniel.

DANIEL: Oh, no. Puedo ir solo . . . Gracias. (*Toma otro libro, se sienta cerca de la lámpara y se pone a verlo mientras* MARTA *y* MAURICIO *se sientan en el sofá.*)

MAURICIO: Guillermo me ha explicado . . .

MARTA: ¡Oh! Hablemos de otra cosa. Mauricio, ¡por favor!

MAURICIO: Me gustaría que tocara usted algo.

MARTA: Hace años que no he puesto las manos en el piano . . . no podría tocar; siento viejos mis dedos. Viejos como yo.

MAURICIO: Usted no envejecerá nunca. La única vez que la oí tocar fué, ¿cuándo? En aquel santo de Guillermo, hará pronto dos años.

DANIEL *se levanta y sale por la derecha.*

MARTA: Toqué para usted. No he vuelto a hacerlo desde entonces.

MAURICIO: Marta, necesito que me digas que no te irás a México.

MARTA: Bien sabes que no . . . que no puedo.

MAURICIO: Guillermo está lleno de razones para ir. ¿Cuáles tienes tú para no ir?

MARTA (*Muy bajo*): Tú. Mientras puedo verte y oírte, aunque sea así, aquí nada más, aunque a veces sea insoportable el aire de esta casa que me espía, aunque tenga yo que contenerme siempre, y sea terrible, es mejor que no verte, que no oírte. Tú eres la única esperanza que tengo, Mauricio.

MAURICIO: Guillermo dice que esta actitud tuya es vieja, que nunca has querido vivir en México desde que te casaste.

MARTA (*Con duro tono*): ¿Te ha dicho eso? ¿Te lo ha dicho?

MAURICIO: Dime la verdad, Marta.

MARTA: Es mentira, ¡es mentira! ¿Por qué ha de estar mintiendo siempre, diciendo cosas de mí? No quiero vivir en México, no quiero vivir en ninguna parte con él. ¿Comprendes ahora?

MAURICIO: Sí. Pero él dice que esto viene siendo así desde que te casaste, desde hace quince, dieciséis años. No entiendo.

MARTA: Te digo que es mentira. No, no volveré a tocar el piano.

Entra DANIEL.

DANIEL: ¿Por qué, mamá?
MARTA: Debes acostarte ya, Daniel.
DANIEL: No más que termine con esto; tengo que copiar un párrafo de este libro y no tengo lámpara en mi cuarto. Papá tiene la otra en el comedor, y si escribo con luz de vela me arden los ojos.
MARTA: Está bien. Termina. (DANIEL *se instala ante la mesa.*) Hábleme de esos poemas, Mauricio.
MAURICIO: Traje el libro con intención de dejárselo, Marta. Es para usted.
MARTA: Muchas gracias, Mauricio. (*Lo hojea.*) ¡Pero está dedicado a usted!
MAURICIO: Sí. Conocí a López Velarde en la Preparatoria; yo estaba en quinto año cuando él entró, pero nuestras familias tenían amigos comunes en Zacatecas. Dejé de verle años enteros, y el pasado, cuando fuí a México, nos encontramos y me ofreció mandarme su libro. Y aquí está.
MARTA: Pero debe usted conservarlo.
MAURICIO: Le ruego que lo acepte, Marta. Lo que tiene importancia son los poemas, no la dedicatoria. Yo no soy de esas gentes a quienes les interesa más el autógrafo de un poeta que su obra. (*La mira intensamente.*) Además, se lo pedí, pensando en usted. Acéptelo.
DANIEL: ¿Mamá?
MARTA: ¿Qué quieres?
DANIEL: ¿Por qué dices que no volverás a tocar el piano? Me acuerdo que cuando era yo chico me gustaba sentarme en el suelo a oírte tocar. ¿Cómo se llamaba aquella pieza que tocabas siempre? Creo que era un vals.
MARTA: *Cuando el Amor Muere.*
DANIEL: Eso es. Deberías volver a tocarlo alguna vez, mamá.
MAURICIO: Yo prefiero el compañero: *Cuando el Amor Reflorece.*[10]

MARTA: Sí. Alguna vez lo tocaré. Alguna vez.

MAURICIO: «Tu palabra más fútil—es comestible de mi fantasía—y pasa por mi espíritu feudal—como un rayo de sol por una umbría.» [11]

MARTA: ¿Qué es eso?

MAURICIO: Versos . . . verdades . . . cosas.

> DANIEL, *después de tomar varios libros y papeles, hace mutis.*

Al fin se ha ido. Es preciso que hablemos, Marta. Guillermo me ha pedido—¡a mí!—que te convenza de que tiene razón, de que es preciso que se vayan a México. Me dijo que confiaba en mi amistad. Es un papel horrible éste. Yo estoy acostumbrado a hacer las cosas de frente, a hablar claro. Preferiría darme de balazos con Guillermo de una vez, Marta.

MARTA: No podríamos casarnos nunca, y tu vida correría peligro. No, ¡no! Hay que hacer otra cosa. Encontrar una solución.

MAURICIO: Una solución . . .

> *Pausa. Permanecen callados, pensando, buscando la solución.* DANIEL *regresa, toma otro libro y se dirige, con aspecto de gran fatiga, al sillón primer término izquierdo. Se sienta, deja el libro sobre sus rodillas y se queda dormido casi en seguida, visiblemente.*

MARTA (*Mira en torno, baja la voz, después de un momento*): ¿Entró Daniel?

MAURICIO (*Mismo juego*): No. Salió.

MARTA: Me pareció . . . (*A partir de este momento involuntariamente hablan en voz más baja, en un tono contenido que intensifica sus reacciones.*)

MAURICIO: Él es una de las grandes razones de Guillermo, que quiere que estudie arquitectura; lo comprendo bien.

MARTA: No creo que Daniel tenga interés en eso. Es un muchacho raro, y nunca he aceptado la idea de que los hijos sigan a la fuerza la carrera de sus padres y triunfen donde ellos fracasaron. Me repugna. Es una especie de . . . herencia.

MAURICIO: Pero Guillermo urge, quiere precipitar las cosas, parece resuelto a imponer su voluntad.

MARTA: No me la impondrá a mí.

MAURICIO: ¿Qué piensas hacer?

MARTA: No sé. Nada por lo pronto, sino combatir su determinación de ir a México. Oh, todo sería tan fácil—y tan justo—si pudiera morirse.

MAURICIO: ¡Marta! Estás loca. Examinemos . . .

MARTA: ¡Oh, no, no, no! ¡No digas esa palabra! ¡Por favor!

MAURICIO: Pero no he dicho nada más que . . .

MARTA: Nunca la digas, nunca, Mauricio, nunca.

MAURICIO: Pero, no sé . . . no entiendo . . . ¿Qué es lo que he dicho?

MARTA: Nada . . . nada.

MAURICIO: ¿Qué palabra?

MARTA: No es nada; no hagas caso.

MAURICIO: Pero estás toda trastornada.

MARTA: Ya no. Ya estoy bien.

MAURICIO: Marta, óyeme. Tengo un plan.

MARTA: Dime pronto qué es.

MAURICIO: Guillermo no podrá menos que darte el divorcio si nos vamos. No resistiría el escándalo . . .

MARTA: Ni tú tampoco, Mauricio. Piensa en tus intereses, en tus hermanas; recuerda cuántas veces me has dicho que quieres vivir aquí, en paz, que aquí lo tienes todo.

MAURICIO: Me faltas tú. Y me faltas a veces tanto, que lo mandaría yo todo al infierno si tú quisieras ir conmigo.

MARTA: Yo he hecho mías tus ideas. Me gustaría vivir aquí contigo, en paz, en paz. Pero tendrías la guerra siempre, con tus hermanas, en el caso de que yo me divorciara. Ya sabes cómo son.

MAURICIO: Estamos en 1920, no en el siglo XIX, y no voy a hacer depender mi vida de las creencias de mis hermanas. No; por ese lado puedes estar tranquila, Marta. Lo que hay que encontrar es un medio para obtener el divorcio, para hacer que Guillermo consienta.

MARTA: No consentirá nunca, lo sé. Ha preferido todos estos años de sombra, de separación íntima, primero, porque me quería, y después, por Daniel, porque quiere conservar en mí a la madre de su hijo, preservar una ilusión de familia para su hijo.

MAURICIO: Debo decirte que yo no puedo más ya. Eres la única mujer en mi vida que me ha tenido así, esperando, consumiéndome día tras día. No vivo ya, Marta. Es preciso que te decidas.

MARTA: Estoy decidida, Mauricio.

MAURICIO: Es preciso que elijas.

MARTA: Ya he elegido. Te he elegido a ti.

MAURICIO: Me has asegurado que no quieres a tu marido . . .

MARTA: Es la verdad.

MAURICIO: Pero es posible que sea el amor de tu hijo lo que te detiene, lo que te hace dudar.

MARTA: ¿Mi hijo? Voy a confiarte una cosa, Mauricio. No quiero a mi hijo . . . siento como si no fuera más que una duplicación de su padre, una imagen escapada de un viejo retrato o de un espejo . . .

MAURICIO: ¡Marta!

MARTA: Pero si le quisiera, no me detendría tampoco, no me haría quererte menos. Antes de ti, ningún hombre significó nada en mi vida.

MAURICIO: ¿Ni tu marido?

MARTA: Él menos que ninguno. Algún día te contaré, algún día. Lo que me detiene ahora es la falta de un medio, de un recurso, algo que nos dé la libertad, la razón ante la gente . . . y entonces la tranquilidad.

MAURICIO: Pero entretanto van pasando los días. Cuando pienso que hace ya dos años de nuestra vida que las cosas son así, que hemos perdido dos años de amor, de verdad, de felicidad, siento deseos de irme de aquí . . . de no volver a verte.

MARTA: ¡Mauricio, no hagas eso! Te juro que tú eres todo para mí . . . que no tengo marido ni hijo . . . que no tengo a nadie más que a ti. Te pido un poco más de paciencia. Siento que las cosas no pueden seguir así por mucho tiempo ya.

MAURICIO: No, no pueden seguir. Mi vida me parece una máquina interrumpida, estúpida. Cuando veo que las gentes siguen caminando, que los caballos corren, que los trenes continúan en movimiento, y que yo estoy inmóvil, esperando, substrayéndome al ritmo de la tierra, me parece monstruoso. Y podemos morirnos así, en un momento, tú o yo, y no vivir nunca.

MARTA: Te juro que será pronto, pronto. Encontraré un medio y será bueno, eficaz. Seremos libres, seré tuya, Mauricio.

DANIEL *se levanta en este momento y camina mecánicamente hasta el centro de la escena. Bajo la mala luz y la natural sorpresa,* MARTA *y* MAURICIO, *aterrados, no pueden distinguir la inmovilidad de las facciones del niño ni lo maquinal de su paso. Después de una terrible pausa,* MARTA *se decide a hablar.*

MARTA: ¡Daniel! (DANIEL *no contesta.*) ¡Daniel!
DANIEL (*Con una voz frágil y lejana, vuelto hacia el balcón*): Mande.
MARTA: ¿Adónde vas?
DANIEL: A la escuela.

MARTA *y* MAURICIO *se miran con extrañeza.*

MARTA: ¿A la escuela? Es de noche, Daniel, ¿no te das cuenta?

DANIEL: Tengo que ir a la escuela. No puedo faltar. No puedo. (*Camina hacia el piano y toma de la banqueta su gorra y sus libros.*) No puedo faltar hoy.

MAURICIO: Está . . . está dormido.

MARTA (*Mirando fijamente a su hijo*): ¡Daniel!

MAURICIO: No debes despertarle. Podría pasarle algo. Dicen que puede tener malas consecuencias.

MARTA (*Sin oírle, como poseída*): ¡Daniel!

DANIEL: Mande.

MARTA: Deja esos libros.

DANIEL: Está bien. (*Lo hace.*)

MARTA: Deja tu gorra. (DANIEL *obedece.*) Ahora, ven acá. (DANIEL *se vuelve, trata de caminar, pero tropieza ligeramente. Entonces* MARTA *se dirige a él, le toma de la mano y le conduce hacia el sofá.*) Es de noche, Daniel. Es de noche. Repítelo.

DANIEL: Es de noche.

MARTA: Debes dormir. Acuéstate a dormir. Debes dormir.

DANIEL: Debo dormir.

MARTA: Ésta es tu cama. Duérmete. (*Le ayuda a tenderse en el sofá.*)

DANIEL: Hace frío.

Pausa. MARTA *y* MAURICIO *permanecen en silencio, mirando al niño que duerme. De pronto,* MARTA *se abraza convulsivamente de* MAURICIO.

MARTA: Tengo miedo, Mauricio. (*Baja mucho la voz.*) Tengo miedo. Protégeme.

TELÓN

ACTO SEGUNDO

[IV]

El 27 de mayo de 1920. Mismo decorado. Son las nueve de la calurosa noche estival. La luz eléctrica hace aparecer más visible ahora la palidez de los muebles. Todo se percibe como bajo una leve capa de polvo. Parece, también, haber mayor espacio entre los muebles—hay menos sombras. La lámpara de pie, junto al sillón, que se encuentra en primer término izquierdo, estará apagada hasta que GUILLERMO la encienda. Al levantarse el telón, MARTA estará de pie en el balcón abierto, inclinada hacia afuera. Mientras habla se volverá varias veces para mirar en torno y convencerse de que nadie ha entrado en la sala.

MARTA (*Hablando con tono sofocado*): No puede ser, ¡no puede ser, Mauricio! (*Se vuelve.*) No; escúchame . . . Oh, ya sé, ya sé. Yo también estoy desesperada. (*Se vuelve.*) No te pido sino un poco más de paciencia, unos días, unas semanas más. (*Se vuelve.*) Te juro . . . No, te juro que si no encuentro otra solución me iré pronto contigo. (*Se vuelve.*) No sé—un mes quizás. (*Se vuelve.*) ¡Pero no te vayas! (*Se vuelve.*) Mañana. Mañana o pasado mañana te veré fuera de aquí. En tu casa. Eso es. Llevaré a Daniel para que monte a caballo. (*Se vuelve.*) Me siento tan desgraciada, como perdida ya, sin saber qué hacer. Viene gente. Hasta mañana. (*Permanece unos momentos al balcón, erguida ahora. Se oyen pasos de una sola persona, afuera.*)

UNA VOZ DE HOMBRE: Buenas noches.

MARTA: Buenas noches. (*Una pausa; se aproximan los pasos de varias personas.*)

VARIAS VOCES, DOS DE HOMBRE Y UNA DE MUJER: Buenas noches.

MARTA: Buenas noches. (*Se alejan los pasos.* MARTA *deja el balcón, se compone un poco el pelo; va a la mesa de centro, de donde toma su cesto de costura, y sale.*)

Entra DANIEL, *en mangas de camisa, con un libro. Se ve más pálido y desmejorado que en el primer acto; el acceso de cólera que sufre no hace sino aumentar su palidez y redondear sus ojos.* JACINTA *le sigue, llevando un saco en la mano.*

JACINTA: ¿Ya ves cómo sí estaba abierto el balcón? Las corrientes son peores cuando hace calor. Mejor ponte tu saco, niño, no vaya a darte un aire.

DANIEL (*Violento*): Ya le dije que no me tutee.

JACINTA (*Yendo a cerrar el balcón*): Está bien, niño Daniel.

DANIEL (*Yendo a abrir el balcón*): No me diga niño, ¡no quiero! Ya no soy un niño.

JACINTA: Está bien; pero póngase su saco y no abra el balcón, niño.

DANIEL: No me da la gana. ¡Váyase! ¡Déjeme en paz!

JACINTA: Antes no era así, niño; antes ibas a la cocina a leerme tus libros, y no te enojabas ni cuando te decía yo Juan Papeles.[12] (*Cierra el balcón.*)

DANIEL: Deje abierto el balcón. ¡Y váyase, váyase!

JACINTA: Lo que tiene es que está enfermo, niño; hay que llamar a un doctor. (*Deja el balcón entreabierto.*)

DANIEL: ¿Qué le importa? ¿A usted qué le importa? Le diré a mi mamá que la corra. (*Abre el balcón de par en par.*)

JACINTA: Está bien, Danielito; no se enoje. Todavía no le sale el bigote y ya quiere hacerse viejo.

DANIEL (*Pasa al ángulo opuesto empujando deliberadamente a* JACINTA): Quítese, ¡déjeme pasar! (*Ella ríe porque el movimiento del niño, no obstante su violencia, no llega a conmoverla.*) ¿Por qué se ríe? ¿Por qué?
JACINTA: Estoy muy gorda para que me empuje, niño, ¡si no tiene fuerzas! Y no tiene fuerzas porque no come. ¿Por qué no viene a tomar su merienda? Ande, niño.
DANIEL (*En el paroxismo ya*): Déjeme en paz, ya se lo dije, estúpida. No he de merendar porque no me da la gana, ¿entiende? Y no se ría de mí porque . . . (*Se ahoga de rabia, aprieta los dientes.*) Va a ser. ¡Mamá! ¡Mamá! (*Golpea el suelo con el pie.*)
MARTA (*Entrando*): ¿Qué pasa aquí?
DANIEL (*Yendo a ella, ciego*): ¡Córrela, mamá, córrela! No más me anda siguiendo. A fuerza me he de poner el saco, a fuerza he de cerrar el balcón. ¿Por qué me sigue? Y se ríe de mí, también. ¡Córrela!
JACINTA: Yo lo hago por su bien, niña. Va a coger un aire, y tampoco quiso merendar.
MARTA: ¿Por qué no meriendas, Daniel?
DANIEL: Merendaré si tú me acompañas y me platicas en la mesa, mamá.
JACINTA: Es que este niño no está bueno, señora; algo tiene, y yo digo que lo mejor sería llamar al doctor.
MARTA: Está bien, Jacinta. Cuando necesite yo su opinión, se la pediré. Váyase a su cocina.
JACINTA: Bueno, niña, bueno. (*Entrecierra nuevamente el balcón y sale moviendo la cabeza.*)
DANIEL (*Todo excitado otra vez*): ¿Ya ves? No más me pica, me . . . (*Corre al balcón;* MARTA *le detiene.*)
MARTA: Daniel.
DANIEL: Tengo mucho calor, mamá, quiero aire.
MARTA: Ven aquí. (*Él se acerca; ella le pone la mano sobre la frente y le mira un momento a los ojos, él trata de acercarse más, ella retrocede.*) Siéntate. (DANIEL *se*

sienta en el sofá y ella ocupa el otro extremo. Él hace ademán de acercarse.) No, no. Así está bien, no necesitas estar cerca de mí todo el tiempo.

DANIEL: Ponme las manos en la frente, mamá. Me hacen bien. Son frescas. (*Se coloca de espaldas hacia ella, se reclina en su regazo, y su madre le cubre entonces la frente con las manos sin poder ocultar un gesto de fastidio.*) Mamá.

MARTA: ¿Qué?

DANIEL: Anoche soñé contigo. Soñé que estabas en mi cuarto y que platicábamos mucho. ¿Por qué no platicamos así siempre?

MARTA: ¿De qué hablábamos? (*Retira las manos.*)

DANIEL: No me quieres, mamá.

MARTA: No seas tonto. ¿De qué hablábamos en tu sueño?

DANIEL: Entonces no me quites tus manos. ¡Por favor! (*Ella tiene un gesto de disgusto contenido y le pone las manos sobre la frente.*) Eso es, mamá, eso me gusta.

MARTA: ¿No vas a decirme de qué hablábamos en tu sueño?

DANIEL: De mi padre.

MARTA: ¿Por qué dices *padre*? Antes decías siempre *papá*.

DANIEL: De veras. No sé; pero me parece que ya no es lo mismo que antes. Ha de ser porque yo he crecido, ¿verdad?

MARTA: Sí. ¿Qué decíamos? Dime.

DANIEL: ¡Oh! Cosas . . . ¡Ah, sí! ¿Te ha hecho sufrir mi padre, mamá, o yo lo soñé?

MARTA: No estás todavía en edad de comprender esas cosas, Daniel. Más tarde habrá tiempo, y lo sabrás todo, y lo entenderás todo. ¿Qué más decíamos, en tu sueño?

DANIEL: Tú me decías eso: que te hace sufrir.

MARTA: ¿Y qué más?

DANIEL: No me acuerdo. Luego soñé que estábamos en México, y te veía yo quién sabe cómo, llorando, pero no tenías lágrimas, y decías: No . . . No . . . No. ¿De veras vamos a ir a México?

MARTA (*Sombría*): No sé. ¿Tienes ganas de ir tú? Antes querías. ¿Te acuerdas?

DANIEL: Sí; pero ahora no sé yo tampoco. Además, ese sueño puede haber sido un aviso. Si tú no quieres ir a México, yo tampoco quiero.

MARTA: Pero es que no vamos a ir, tranquilízate.

DANIEL: ¡Qué bien! ¿No vendrá Mauricio hoy?

MARTA: No sé. ¿Por qué?

DANIEL: Tengo ganas de montar a caballo. Me siento mejor cuando hago ejercicio. Respiro con más fuerza. Por más que no soy buen jinete, no creas. El sí monta muy bien.

MARTA: ¿Mauricio?

DANIEL: Sí.

MARTA: Antes decías que no.

DANIEL: Ah, era porque le había visto muy poco a caballo.

MARTA (*Siempre fría*): También decías que no te simpatizaba.

DANIEL: ¿Mauricio?

MARTA: Sí.

DANIEL: Oh, no sé. Unas veces me simpatiza mucho—otras no. (MARTA *se retira un poco*.) ¡Oh, no te vayas! Me gusta estar cerca de ti porque hueles muy bien. ¿Cómo se llama ese perfume?

MARTA: *Corazón de Juanita*.

DANIEL (*Ríe*): ¡Qué nombre! Creía que se llamaría de otro modo.

MARTA (*Ríe un poco también, a pesar suyo*): ¿Cómo, tonto?

DANIEL: Oh, no sé. Como tú, por ejemplo. Tú tienes un nombre bonito. ¿Vamos a ponerle así al perfume: *Corazón de Marta?* (*Se abandona en el regazo de su madre.*)

MARTA: Déjame levantar.

DANIEL: ¡Estaba yo tan a gusto!

MARTA: Tu padre viene.

DANIEL: No sé cómo lo haces, pero siempre le conoces por los pasos. (*Se incorpora un poco,* MARTA *se levanta.*)

MARTA: Yo sé mi cuento.

GUILLERMO *entra de la calle. Hay algo en su aspecto que sugiere una especie de metamorfosis. Está nervioso, pero alegre, vivo. Su alegría contenida denota salud, satisfacción moral.*

GUILLERMO: Buenas noches.
MARTA: Buenas noches. (*Hace ademán de salir.*)
GUILLERMO (*Contenido*): Quisiera hablar contigo; no te vayas.
MARTA: Tengo algo que hacer. Volveré dentro de un momento. (*Sale.*)
GUILLERMO: Daniel . . .
DANIEL: Mande.
GUILLERMO: Mande, papá. ¿Te cuesta mucho trabajo ser cariñoso con tu padre, que tanto te quiere? (DANIEL *guarda silencio.*) ¿Mucho?
DANIEL: No es eso . . . papá.
GUILLERMO: Ven. (DANIEL *se levanta.*) No deberías estar en mangas de camisa, puede hacerte daño. Esta temperatura de verano es muy cambiante, y el aire de la montaña siempre es frío.
DANIEL: ¡Oh! Tú también.
GUILLERMO (*De buen humor*): Yo también ¿qué?
DANIEL: Nada, pero ya estás como Jacinta, que me persigue por todas partes para que me ponga yo el saco. Deberías correrla, papá.
GUILLERMO: ¿Correrla porque te cuida? Al contrario. No me gusta ver esos impulsos en ti, Daniel, no son generosos. (DANIEL *se encoge de hombros.*) Siéntate. (DANIEL *obedece en silencio.*) Siento tener que hablarte de tus últimas calificaciones, hijo. Son malas.
DANIEL: Ya lo sé.
GUILLERMO: ¿Por qué son tan bajas? Es la primera vez que

trae sólo sietes y ochos. ¿Qué es lo que te hace descuidar tus estudios?

DANIEL: Yo no los descuido. Son esos profesores, que no me tienen buena voluntad porque no soy servil como los demás. Tienen sus favoritos, que les hacen la barba.

GUILLERMO (*Entre la seriedad y la risa*): ¿Quién te enseña esas expresiones? (*Sonríe.*) Me parece excesivo lo que dices. No creo que nadie te tenga mala voluntad, hijo mío. No es posible tenérsela a ningún niño. Pero te observo. Comes mal, duermes mal, estás muy pálido y más delgado. (*Le toma por un brazo que levanta para exhibir su flacura.* DANIEL *se desase en silencio, pero con energía.*) Lo que creo es que estás enfermo.

DANIEL: Otra vez como Jacinta.

GUILLERMO: ¿Cómo?

DANIEL: También Jacinta dice que estoy enfermo.

GUILLERMO: Tiene razón.

DANIEL: No es verdad, yo me siento bien; pero . . .

GUILLERMO: ¿Pero qué?

DANIEL: Nada.

GUILLERMO: Dilo, hijo.

DANIEL: Pero tú piensas como la criada.

GUILLERMO (*Tomado por sorpresa, dolorido*): Hijo, ¿qué es esto?

DANIEL (*Avergonzado*): Nada; pero lo que pasa es que tú me tratas siempre como si fuera yo un niño—y eso me avergüenza.

GUILLERMO (*Después de una pausa*): Esas palabras no son tuyas, Daniel. Sé dónde las has aprendido y no quiero decirlo. (*Vuelve a su tono de bondad.*) Además, para mí siempre serás mi . . . (*Se reprime*) hijo. ¿Y qué sabes tú, hijo mío, de lo delicada que es la salud de los muchachos durante el crecimiento? Quiero que dejes tu manera caprichosa y que seas sincero contigo mismo, que te observes y que, si estás enfermo o no te sientes muy boyante, me lo digas; te procuraré un cambio de aires, tomarás unas vacaciones, dejarás la escuela por unos meses.

DANIEL: Sí, para que después me digas que tú a mi edad ya habías acabado la preparatoria y que no entiendes a quién he salido . . .

GUILLERMO: Daniel, ¿cuándo te he dicho eso?

DANIEL: Muchas veces.

GUILLERMO: Sabes que no estás diciendo la verdad.

DANIEL (*Como arrebatado por un poder demoníaco*): Pero no piensas que otros, a tu edad, ya son presidentes, o grandes hombres.

GUILLERMO: ¡Daniel! (*Se reprime.*) Te están cambiando. Siempre creí que no sólo éramos padre e hijo, sino dos buenos amigos que se cuidaban mutuamente. Todavía el invierno pasado corrías tras de mí para hacerme poner una bufanda. Si yo te cuido ahora y me preocupa tu salud, ¿por qué esos arrebatos? Creí que me querías.

DANIEL: Sí te quiero, papá. Pero no sé . . .

GUILLERMO: Yo tampoco sé. Estás cambiando, hijo mío, pero no por ti mismo. Son influencias extrañas las que te hacen mirarme como a un enemigo.

DANIEL (*Avergonzado*): No, papá, perdóname.

GUILLERMO (*Le estrecha la mano y la retiene entre las suyas*): Sé que has andado nuevamente con Luis. No me digas nada, no quiero que mientas, porque siento la misma vergüenza cuando lo haces, que si lo hiciera yo. (DANIEL *retira su mano.*) No quiero sino una palabra: ¿te ha dado permiso tu madre para seguir frecuentando a ese muchacho?

DANIEL: No, no, papá.

[V]

MARTA *vuelve y permanece reclinada en el marco de la puerta derecha mirando la escena.*

MARTA (*Desde la puerta*): Sí, yo le he dado permiso. Tú eres el que está siempre lleno de sombras y de recelos. Me he informado sobre Luis y le he visto—es simpático y de buena familia.

GUILLERMO: Eso es lo que lo hace más peligroso, Marta; siento que no lo comprendas, y quiero pedirte que te excuses en lo futuro de autorizar las amistades de Daniel.

MARTA: Enciérrale entonces en una torre, para que no vea a nadie y crezca como un salvaje, como una bestia, sin trato humano. Tu actitud es ridícula y odiosa.

GUILLERMO: Te empeñas en no entenderme. Quiero que Daniel tenga sociedad, trato humano, buenos amigos, precisamente porque yo crecí sin ellos y sé lo que es sufrir de no tenerlos; pero, una vez más, quiero que sus amigos sean iguales a él, muchachos que no le den mala fama, como la da él a nadie.

DANIEL: No entiendo por qué me ha de dar mala fama la compañía de Luis.

GUILLERMO: Porque él la tiene, y no hay una tintura más difícil de lavar que ésa—penetra a veces hasta el alma. Pero no voy a discutir ya contigo, Daniel. Ni contigo, Marta. El remedio está próximo ya. Dentro de pocas semanas nos iremos a México.

DANIEL: No creo que quiera yo ir a México, papá.

GUILLERMO: Tú harás lo que yo te indique, hijo.

MARTA: Allí está otra vez tu eterna tiranía, sin razones, sin escrúpulos. Aquí tienes una situación segura, y quieres sacrificarla por tu ambición personal. Si tantos deseos tienes de ir a México, ve solo. Nosotros nos quedamos aquí.

GUILLERMO (*Perdiendo un poco los estribos*): Es la primera vez que discutimos delante de Daniel, Marta. Te ruego que sea la última; no me agrada.

MARTA: Yo no discuto. Te he dicho cuál es mi decisión y ya.

GUILLERMO (*Conciliador aún*): Mira, Marta, por favor. Perdóname si yo también me he dejado arrebatar. Tengo una gran alegría y no quiero que se ahogue, sino que tú y Daniel la compartan conmigo.

DANIEL: ¿De qué se trata, papá? (GUILLERMO *sonríe ampliamente.*)

MARTA (*En guardia, curiosa, pero refrenada*): ¿De qué hablas?

GUILLERMO: Es la mejor noticia que he recibido en muchos años, Marta.

MARTA: Bueno, dila ya. (*La impaciencia la traiciona un poco.*)

GUILLERMO: Ya sabes que ayer hubo una sesión extraordinaria del Congreso para designar al nuevo presidente. Se presentó una terna de civiles importantes, pero . . .

MARTA: ¡Ah! Una cosa política.

GUILLERMO: Es que el Congreso rechazó la terna, y allí es donde comienza mi buena suerte. (*Se detiene, espera,* MARTA *le mira con desagrado, bosteza ostensiblemente.* DANIEL *espera.*) Marta, han hecho presidente de la República a Adolfo de la Huerta.[13] (*Pausa.*) ¿No dices nada ya?

MARTA: No veo qué interés puede tener para mí esa noticia.

GUILLERMO: Pero, ¿no te das cuenta? ¡De la Huerta presidente! Es amigo mío de muchos años, es un hombre honrado, estuvimos juntos en la revolución. En cuanto supe la noticia, le puse un telegrama pidiéndole que me coloque cerca de él en México. Él conoce mis sueños, estoy seguro de que no me lo negará. Y entonces mi situación, nuestra situación será más amplia y más segura, Marta. Daniel tendrá un verdadero porvenir.

MARTA: No veo por qué. ¿Ha contestado ya tu telegrama, te ha dicho que sí?

GUILLERMO: Le conozco, Marta, y sé que no me lo negará; no sólo no me lo negará, sino que . . .

MARTA (*Terriblemente cortante*): No. Te dirá que elijas la cartera que más te guste.

GUILLERMO (*Como una máquina que se detiene de un golpe, en voz baja*): Eso es . . . estúpido, Marta.

MARTA: Como todos tus sueños, como todas tus esperanzas. ¿No hay nada más estúpido que tus sueños? ¿No me has hecho vivir y esperar tantos años cerca de un fracasado y de un cobarde?

GUILLERMO (*Bajo una gran tensión, esforzándose por hablar serenamente*): Ve a acostarte, Daniel.

MARTA: Aunque le hagas salir, tarde o temprano ha de saberlo. Lo sabe ya.

DANIEL (*Después de una pausa*): Está bien, papá. (*Sale turbado, con la cabeza baja.*)

Pausa.

GUILLERMO (*Al fin*): Has dicho la verdad, Marta. Soy un fracasado y un cobarde. Pero no has dicho la causa, has tenido buen cuidado de no nombrarte.

MARTA (*Despectiva*): Si quieres culparme . . .

GUILLERMO: Todo te lo he perdonado — que me arrastraras lejos de mis ambiciones, que fueras desbaratando todos mis planes, que no me quisieras. Todo lo que has hecho de mí durante dieciséis años me parece poco comparado con lo que acabas de hacer en un minuto. Me has destruído en el espíritu de nuestro hijo y eso no te lo perdonaré mientras viva.

MARTA: Es mejor eso que tu amor.

GUILLERMO: ¿Por qué, si querías decirle la verdad a Daniel, no le dijiste que tú eres la culpable de mi fracaso, que tú eres la que me has hecho un cobarde?

MARTA (*Dándole la espalda*): Comprendo que te haga falta una excusa ante ti mismo, y comprendo que la encuentres en mí. Hasta en eso eres el marido de otras épocas, que culpa a su mujer de su propia incapacidad. Ya te lo dije: cúlpame. Estoy dispuesta a dejarte hacerlo—pero Daniel sabrá siempre que no es cierto.

GUILLERMO (*Sentándose abrumado*): Apelas al arma más segura para hacerme daño; pero bien sabes que yo puedo descubrir la verdad, exhibirte. Que tengo pruebas de cómo fuiste cerrándome el paso en la vida; de cómo, sabiendo cuánto te quería, me convenciste de dejar a México, de no ir a Europa, de rodar por la provincia, de posponer la realización de mi vida explotando mi amor por ti, prometiéndote cada vez que yo renunciara a un proyecto. No pudiste impedirme que entrara en la revolución, porque fué una marea contra la que no era posible oponerse. Siquiera en eso obré como un hombre.

MARTA: Y tiraste tu dinero como un imbécil. Tu vida habría bastado.

GUILLERMO (*Lento*): Sí, ahora lo entiendo. Esperabas que me mataran, ¿verdad? Por eso fué por lo que no te opusiste. No me sorprende. Nada de ti me sorprende, aunque todo lo que haces sea tan oscuro. Si Daniel oyera esto, ¿qué diría? ¿Piensas que se cumplirían tus deseos?

MARTA: No lo creerá nunca de tu boca, y no lo oirá de la mía.

GUILLERMO: Me da vergüenza, pero tengo que decirlo, porque olvidas otras cosas, de las que también tengo pruebas, cosas que algunas gentes pueden atestiguar. No me querías; pero cedías con tal que yo dejara de pensar en México, en Europa, en la vida. Lo que no haría ni una . . . Y eso no era todo. (*Muy lento.*) ¿Por qué no tiene hermanos Daniel, Marta?

MARTA: ¿Por qué buscas la razón en mí, en vez de buscarla en ti mismo?

GUILLERMO: Es mentira. Sabes que es mentira—que tú no quisiste que Daniel tuviera hermanos.

MARTA: ¿Vas a inventar eso ahora?

GUILLERMO: Olvidas que hay gentes enteradas—en Torreón, en Guanajuato, en Zacatecas—las mujeres a quienes recurriste para . . .

MARTA: No sé de qué quieres hablar.

GUILLERMO: Oh, sí. Pero cada detalle no es más que parte de un todo. Mientes ahora como mentías antes, pero con un programa que no puedo ver claramente, por una razón que no puedo distinguir todavía. Cada una de tus mentiras, de tus acciones, de tus maldades, es razonada y exacta. Tiene un motivo, tiene un objeto. En el horror que me produces siento que estoy cerca de la verdad, aunque no la conozca.

MARTA: ¿Has terminado ya?

GUILLERMO: No; no terminaré hasta que encuentre la razón de todo esto.

MARTA: No te quiero—no te he querido nunca.

GUILLERMO: Ahora lo sé. Pero, ¿es eso todo?

MARTA: ¿Te parece poco? No tienes idea entonces de lo que es no querer a alguien, ir sacrificando cada hora de cada día, de cada año de juventud por alguien, sentirse envejecer sin haber vivido; saber que un día ya no se podrá sentir amor por nadie, y que a pesar de todo se seguirá viviendo.

GUILLERMO: No hables de esas cosas. Hay otras, que no dices. Si no se tratara más que de eso . . . Pero no quieres a Daniel, tampoco. Te he observado desde que él nació—tenía tal esperanza de que la maternidad hiciera una mujer nueva de ti—, nada más que antes no me daba cuenta. No quisiste amamantar a Daniel, le has odiado desde que nació. Y le has ido volviendo contra mí poco a poco, hasta hacerle hablarme como me habló esta noche. No necesitas decir nada, porque sé que es cierto, porque en esta misma pieza lo has reconocido hace poco.

MARTA (*Después de una pausa deliberada*): Bueno, después de esto no esperarás que continuemos juntos.

GUILLERMO: Quizá debería echarte de aquí por la salud moral de Daniel; pero no quiero quitarle a su madre, por poco que merezcas el nombre. No quiero que más tarde pueda dirigirme un solo reproche. El más insignificante me haría sufrir horriblemente. Ya me ha hecho sufrir esta noche.

MARTA: Allí habla tu egoísmo, como siempre. Tienes miedo de sufrir. ¿Y yo? ¿No piensas en mí acaso? ¿Crees que yo puedo continuar?

GUILLERMO: Tienes que hacerlo, y no sólo eso, sino que tendrás que modificar tu conducta, tendrás que hacer algo más por tu hijo que empedrarle el alma.

MARTA: No se trata de él, sino de ti. Es la vida contigo la que me parece imposible.

GUILLERMO: Lo creo. Tú no eres para mí más que una sombra, y yo no soy más para ti. Pero esas dos sombras apuntalan el hogar de mi hijo y . . .

MARTA: Olvidas que existe el divorcio.

GUILLERMO: Es muy fácil. Ahora que te conozco, me cuesta tanto vivir a tu lado como puede costarte a ti vivir al mío, pero . . .

MARTA: Que yo puedo pedirlo . . .

GUILLERMO: No te lo daré nunca.

MARTA: . . . y obtenerlo con sólo decir una mínima parte de la verdad, de todo lo que tú me has hecho.

GUILLERMO: ¿Lo que yo te he hecho? Me harías reír, Marta. No, no creo en el divorcio. Sería muy fácil devastar la vida de un hombre, hundirle y divorciarse. No. ¿Por qué crees que he resistido en silencio el paso de todos estos años sin buscar una solución tan cómoda? Hoy no hemos hecho más que hablar, no he podido hacer menos que hablar porque estaba ahogándome ya bajo tantas cosas repugnantes; pero esto que hoy hablamos es lo que hemos vivido, y fué más terrible entonces que ahora. No he soportado esta negrura sino para asegurarle a mi hijo una apariencia de vida familiar, sino para darle todo lo que estaba en mi mano para darle, y no voy a ceder ahora, a darte tranquilamente el divorcio sólo porque nos hemos gritado lo que somos. Abandona esa idea. Mi resolución es firme.

MARTA: Ya sabía yo que eres bajo y cobarde, pero no creí que llegaras a tanto.

GUILLERMO: Nada de cuanto puedas decir ahora será peor que lo que ya está dicho. Mejor cállate.

MARTA: Sería muy fácil. Conocer la verdadera razón de tus motivos y callarla mientras tú presumes de sacrificarte por tu hijo.

GUILLERMO: ¿Qué quieres decir?

MARTA: Quiero decir que todo lo que has hecho, todo lo que has dicho no es sino por despecho. Que todavía me quieres. ¿Por qué razón, si no, ibas a negarme el divorcio? Tu actitud es estúpida; como siempre, te falta inteligencia en tus pretextos.

GUILLERMO: No necesito pretextos.

MARTA: Si estás convencido del horror que es nuestra vida, ¿por qué no salvas de él a tu hijo, por qué no tratas de volver a empezar, de algún modo? Si tan despreciable te parezco, ¿por qué permites que tu hijo tenga una madre despreciable? Eso le hará más daño que no tener madre. No, no hay en ti más que lo mismo de antes. Me quieres aunque no lo confieses.

GUILLERMO *se levanta, pasea un poco. Ella espera, jadeante.*

GUILLERMO: ¡Cállate! Me das . . .

Se oye llamar, fuertemente, al zaguán.

MARTA: Tocan.
GUILLERMO: Me das asco. Cállate, ve a encerrarte en tu cuarto.
MARTA: Te conozco. Irás a llorar en la puerta hasta que te abra.

GUILLERMO: No. No iré a buscarte nunca.

Vuelven a llamar.

MARTA: Están tocando.

GUILLERMO: Veo que todavía te quedaba algo peor por decir; pero te equivocas. Estuve enfermo de ti hasta el punto de creer que tendría que arrancarme la piel para sacarte de mí y curarme. Durante meses traté de reemplazarte, y no es ésa la menor de las torturas que me has hecho pasar, sin conseguirlo, desesperándome, llorando ante mujeres desconocidas, sobre almohadas sucias. Pero todo eso pasó ya. No me inspiras el menor sentimiento. Sentiré piedad por ti cuando haya logrado olvidar tu maldad, pero eso será todo.

Llaman de nuevo, con más fuerza. GUILLERMO *y* MARTA *se dirigen simultáneamente a la puerta izquierda, se encuentran en ella y los dos retroceden un paso al mismo tiempo. Al fin,* GUILLERMO *sale con violencia para abrir el zaguán.* MARTA *va hacia el piano y permanece reclinada en él, inmóvil, sumida en pensamientos que acaban por estremecerla. Se oye, afuera,*

LA VOZ DE GUILLERMO: Gracias.

Se oye cerrarse el zaguán y GUILLERMO *reaparece un momento después, trémulo de cólera todavía.*

MARTA: ¿Qué era?
GUILLERMO (*La mira un momento en silencio, como si buscara su voz, que sale al fin, ahogada*): Un telegrama. (*Pausa.*)
MARTA: ¿Qué era?
GUILLERMO: ¿Te interesa acaso lo mío?
MARTA: No. (*Se dirige a la puerta derecha. Entretanto,*

GUILLERMO *rasga con violencia el sobre del telegrama y le echa una ojeada muy rápida.* MARTA *se ha vuelto a mirarlo, y el cambio que sobreviene en su expresión la clava en el sitio.*) ¿Qué es?
GUILLERMO: ¿Dónde está Daniel?
MARTA: Duerme.

GUILLERMO *se dirige a la puerta derecha.*

MARTA: ¿Vas a despertarle?
GUILLERMO: Quiero que vea esto, que lo vea delante de ti, que se dé cuenta de que su padre no es un fracasado.
MARTA (*Inquieta*): ¿No habrá tiempo de eso mañana?
GUILLERMO: No. Ha de ser ahora mismo. Ve a despertarle tú. (MARTA *inicia el mutis.*) No. Sería egoísta. Mañana podrá verlo. (MARTA *hace un falso mutis.*) Pero tú, por lo menos, vas a oírlo. (MARTA *reaparece.*) Es un telegrama de De la Huerta. Escucha: «Contaba ya contigo para realización ciertas viejas ideas comunes punto. Salgo para México punto. Comunícame en seguida si aceptas punto. Afectuosamente.» (MARTA *calla.*) ¿No dices nada ahora?
MARTA (*Adelantando unos pasos*): ¿Yo? ¿Por qué he de decir algo? ¿Qué me importa eso?
GUILLERMO: Iremos a México mañana mismo, y tú vendrás con nosotros, Marta; con tu marido y con tu hijo.
MARTA: ¿Y dices que ya no me quieres, que ya no quieres nada conmigo? Déjame ir entonces. Pero no, no eres más que un despechado. No iré a México contigo, Guillermo.
GUILLERMO: La ley te obliga, la religión te obliga a hacerlo.
MARTA: Olvidas que puedo irme, sin divorcio, desaparecer, liberarme.
GUILLERMO: Me necesitas más de lo que piensas—para hacerme daño por lo menos. Pero si te fueras, te haría

volver a la fuerza, te obligaría a cumplir tu deber para con tu hijo.

MARTA: No lo creas.

GUILLERMO: Bien sabes que no tienes adónde ir, sin nosotros.

MARTA: Tú, ¿qué sabes?

GUILLERMO: ¿Adónde? ¿Con tu familia?

MARTA (*Perdida de pronto*): ¡No, no, no! (*Llega violentamente a la puerta derecha. La detiene la voz de*

GUILLERMO: Entiende bien esto, Marta: nunca te dejaré ir— y no es por amor. Por tu hijo, no te dejaré ir. Mañana mismo saldremos para México. (*Sale por la puerta izquierda.*)

MARTA: ¿Adónde vas?

LA VOZ DE GUILLERMO (*Afuera*): Al telégrafo, a avisar que acepto.

[VI]

MARTA *regresa lentamente al piano; se sienta ante él, lo abre y contempla el teclado, sobre el cual coloca al fin las manos. Golpea un violento acorde de pronto, y la resonancia es tan fuerte que parece asustarla. Cierra el instrumento. Pausa. Algo atrae su atención al balcón, va hacia él y lo abre. La silueta de* MAURICIO *aparece al fondo.*

MARTA: ¡Qué imprudencia, Mauricio! Guillermo acaba de salir, pudo encontrarte.

MAURICIO: Le ví salir, me escondí. No puedo vivir sin ti, Marta; tenía que decírtelo, por eso vine. ¿Qué ha pasado entre ustedes? Guillermo tenía un aspecto extraño.

MARTA: Te lo diré mañana. Vete ahora. No quiero que te encuentre aquí. Por favor.

MAURICIO: Dime que . . .

MARTA: Guillermo fué sólo al telégrafo, Mauricio. No puede tardar. ¡Vete!

MAURICIO: Dime que la vida va a ser nuestra, que ya hemos llegado a un límite en esta tortura absurda de todos los días. Dímelo, o no sé qué voy a hacer. Me siento capaz de todo — de matar a tu marido, Marta.

MARTA: ¡No! Te perderías y te perdería yo, Mauricio. Déjame esta noche, sólo esta noche de plazo. Mañana, mañana . . .

MAURICIO: Viene Guillermo. (MARTA *retrocede violentamente.*) No, ¡no te vayas! Sospecharía. Dime algo, en voz alta.

MARTA (*Con voz blanca*): No creo que tarde, Mauricio. Dijo que iba solamente al telégrafo. ¿No quiere pasar a esperarle?

MAURICIO: No, gracias, Marta. Volveré a buscarle mañana.

LA VOZ DE GUILLERMO (*Fuera de escena*): ¡Mauricio! Me alegro de verle. Pase, pase.

MAURICIO: Venía sólo a preguntarle si . . .

Las voces se pierden; la silueta de MAURICIO *desaparece del balcón.* MARTA *lo cierra y vuelve al centro de la pieza. Un instante después entran* GUILLERMO *y* MAURICIO.

GUILLERMO: Me alegro verle porque precisamente pensaba ir a buscarle. De la Huerta me ha llamado, Mauricio, y nos vamos mañana mismo a México . . .

MAURICIO: ¿Mañana? (*Mira a* MARTA, *que no se conmueve.*)

GUILLERMO: Y no sé si le causaría mucha molestia rogándole que me atendiera una o dos cosas que dejo pendientes.

MARTA: Hasta mañana, Mauricio.

MAURICIO (*Tratando de penetrar en su mirada*): Buenas noches, Marta.

GUILLERMO: Siéntese, Mauricio.

MAURICIO: Gracias. Pasé por aquí en camino de casa y se me

ocurrió preguntarle si sabía lo de De la Huerta, pero en realidad tengo que irme. De esos asuntos que quería usted . . .

GUILLERMO: Voy a preparar un memorándum esta noche y se lo entregaré mañana. Espero que no le causaré mucha molestia.

MAURICIO: Ninguna. Pero, dígame, ¿cómo ha tomado Marta la cosa? La última vez que hablamos parecía renuente a irse.

GUILLERMO: Se irá de todos modos.

MAURICIO: No quiero intervenir en su vida privada; pero usted fué el primero en hablarme de eso, Guillermo. ¿No va a acarrearle este viaje trastornos domésticos —infelicidad, qué sé yo?

GUILLERMO: Cuando ha estado uno casado muchos años, Mauricio, ya no es posible ser infeliz—más infeliz. Comprenda usted que quiero una forma de hogar para mi hijo, que es lo justo, lo razonable. Yo podré realizar mis proyectos ahora y . . .

MAURICIO: La política es una cosa insegura y sucia, Guillermo. ¿No irá usted detrás de un espejismo?

GUILLERMO: ¿Hay algo seguro en el mundo? En cuanto a lo limpio, lo único limpio que conozco es el amor de mi hijo. Y la amistad, sí, la amistad de hombres como usted porque eso lo elige uno.

MAURICIO (*Turbado*): Por favor, Guillermo . . . ¿Por qué no le pide usted al presidente una situación aquí mismo, por qué no realiza sus proyectos aquí?

GUILLERMO (*Con una sonrisa amarga*): Es mi última carta en la vida y tengo que jugarla bien, Mauricio. Le agradezco su interés, pero de todas maneras saldremos para México mañana.

MAURICIO: En ese caso . . .

GUILLERMO: Cuento con usted, ¿no es eso?

MAURICIO (*Después de un esfuerzo*): Si usted quiere.

GUILLERMO: Gracias, Mauricio. (*Le tiende la mano.*)

MAURICIO (*Tomándola después de una ligera vacilación*):
Buenas noches, Guillermo.

Salen los dos. Entretanto MARTA *reaparece. Hay algo en ella como una especie de transfiguración inquietante y un poco siniestra. Se oye*

LA VOZ DE GUILLERMO: Gracias, Mauricio. Hasta mañana, en la estación.
MARTA (*Al entrar* GUILLERMO): ¿Por qué hiciste eso?
GUILLERMO (*Fatigado*): ¿Qué?
MARTA: Decirle a Mauricio que nos iremos mañana.
GUILLERMO (*La mira de hito en hito*): ¿Es posible que no comprendas aún?
MARTA: Es posible; pero lo seguro es que tú no comprendes todavía tampoco. Haz lo que quieras, Guillermo. Haz planes para ti solo, para tu hijo, pero no para mí.
GUILLERMO (*Colérico de pronto*): ¿No crees que es ya bastante la amargura de no tener con quién compartir esos planes, de no tener estímulo, de no tener apoyo? Déjame en paz.
MARTA: Tienes a tu hijo.
GUILLERMO: Sí. Y le recuperaré aunque tú le hayas cambiado tanto. Él entenderá todo, él me dará ese estímulo y esa compañía que necesito.
MARTA: Entonces, por última vez, déjame libre, Guillermo.
GUILLERMO: No podré compartir nada contigo, pero tú tendrás que estar presente, Marta, tendrás que comprobar, día tras día, que era yo quien hago bien las cosas porque me entrego a ellas, porque las hago.
MARTA: Yo no iré con ustedes a México, Guillermo, te lo advierto.
GUILLERMO (*Perdiendo los estribos, se acerca a ella y la ase por un brazo*): ¿Por qué, por qué, por qué?
MARTA: Déjame. Me lastimas.
GUILLERMO: ¡Te lastimo! (*La deja ir.*) Tú no me has lastimado

48

a mí, ¿verdad? Tú no me has hundido la vida, tú no me . . . (MARTA *sale con rapidez por la derecha.*) ¡Marta! ¡Ven aquí, Marta, ven o . . . ! (*Va a seguirla, pero desiste. Pasea de un extremo a otro tratando de serenarse; busca algo en que refugiarse, ve un periódico en la mesa, lo toma, lo mira sin leer, lo deja caer entonces, va hacia el sillón y enciende la veladora. Desde allí llama*): ¡Jacinta! (*Pausa. Se sienta, vuelve a tomar el periódico y lo despliega. Le tiemblan las manos.*) ¡Jacinta!

LA VOZ DE JACINTA (*Fuera de escena*): Voy, voy, señor.

Entra la sirvienta al cabo de un instante, descalza, cubriéndose con un abrigo y un rebozo.

JACINTA: Yo creía que ya no me iba a necesitar, señor.

GUILLERMO (*Un poco avergonzado*): ¿Ya estaba usted acostada? Siento haberla hecho levantar, Jacinta, no pensé . . . Váyase a su cama.

JACINTA: No, no, señor, ya me paré; mejor dígame qué quiere.

GUILLERMO (*Impaciente*): No es necesario; lo haré yo mismo.

JACINTA: No, señor, de veras.

GUILLERMO: Quiero una copa de coñac, Jacinta. La botella está en la vitrina del comedor.

JACINTA: En este momentito, señor Guillermo. (*Arrastrando los pies, llega hasta la puerta derecha.*)

GUILLERMO: Y, Jacinta . . .

JACINTA (*Volviéndose*): Sí, señor.

GUILLERMO: Traiga también un block de papel de cartas que ha de estar por ahí.

JACINTA: Muy bien, señor. (*Sale.* GUILLERMO, *en tanto, se esfuerza por leer el periódico. Vuelve* JACINTA): Aquí está, señor.

GUILLERMO: ¿El block también? Gracias, Jacinta; vaya a acostarse.

JACINTA: Ahora que ya me paré, señor Guillermo, si va usted

a trabajar, ¿no quiere que le haga una tacita de café bien caliente?

GUILLERMO: No, no. Acuéstese ya.

JACINTA: No se desvele mucho, señor, que luego se le hace tarde en la mañana. (GUILLERMO *no responde*.) Hasta mañana, señor Guillermo. (*Mutis*.)

GUILLERMO *bebe de un trago la copa que* JACINTA *le ha servido. Acciona de modo pertinente. Se levanta, sale con rapidez, regresa con la botella de coñac en la mano, se sirve otra copa, deja la botella en la mesa próxima al sillón, se sienta, bebe, esta vez con lentitud, y luego despliega nuevamente el periódico. Pero no logra leer. Renuncia, al cabo de un instante; se levanta, acerca una silla a la mesa, de espaldas al foro, dispone el block de papel y saca una pluma fuente del bolsillo. La deja, termina su copa y se sirve una tercera, da un trago y empieza a escribir. Un momento después deja caer la pluma, termina su tercera copa y permanece mirando al vacío.*

Lentamente, por la puerta derecha entra DANIEL, *descalzo y en ropa de dormir; camina mirando al frente y lleva una pistola en la mano derecha. Se adelanta hasta situarse detrás de la silla que ocupa* GUILLERMO, *y levanta el arma a la altura de la cabeza de su padre. En este momento,* GUILLERMO, *en su abstracción, hace un leve movimiento con la mano izquierda, como para expulsar una visión importuna.* DANIEL *se estremece, cierra los ojos un segundo y vuelve a abrirlos. Mira entonces en torno, ve la pistola en su mano derecha levantada, ve a su padre de espaldas a él, y con un gesto de horror hunde literalmente su puño izquierdo en su boca y sale rápida y silenciosamente.*

GUILLERMO *no se ha dado cuenta de nada. Siente de pronto, algo extraño en el ambiente. Dice, sin volverse a media voz primero, y un poco más alto la segunda vez:*

GUILLERMO: Daniel—¿eres tú, Daniel?

Se oye una detonación fuera de la escena. Mientras GUILLERMO *se levanta de un salto, cae el*

TELÓN

ACTO TERCERO

/\

[VII]

Mismo decorado, trastornado por la presencia de sillas de variados estilos dispuestos alrededor de la sala; en el suelo, al centro, dos grandes candelabros, cada uno con una cera encendida; pétalos de gardenias y hojas de laurel esparcidos sobre la alfombra. El olor de la cera y de las flores mortuorias inmóvil en la atmósfera. Algunos dolientes, que han acompañado a la familia hasta su casa, están despidiéndose cuando se levanta el telón. Son las cinco de la tarde. El espejo y los cuadros aparecen cubiertos por paños negros. Toda la parafernalia negro mate de los duelos de provincia.

EL DOCTOR: Nada, ingeniero, hay que portarse como los hombres. En estos momentos de prueba es cuando descubrimos nuestras fuerzas.

GUILLERMO (*Mecánicamente, casi en voz baja*): Gracias, doctor. Muchas gracias.

UN SEÑOR VIEJO: Lo mismo le digo, ingeniero. Y resignación, ¡resignación! Vamos, Eduardo. (*A un chico que le acompaña.*)

EDUARDO: Adiós, señor Estrada.

UNA SEÑORA: Nos hará usted favor de despedirnos de Marta

GUILLERMO (*Con un esfuerzo cada vez mayor, que enluta su voz*): Muchas gracias, muchas gracias. Debe de estar descansando un poco. Se lo diré.

OTRA SEÑORA: Naturalmente. ¡Un golpe tan terrible! ¡Pobrecita! ¡Pobrecita!

OTRA: Todas las madres la comprendemos. Volveremos esta noche, ingeniero, para rezar el rosario.

GUILLERMO (*Tembloroso, pero decidido y siempre en voz baja*): Perdonen ustedes, perdonen, pero—si fuera posible, preferiría . . . en fin, no habrá rosario.

SEÑORA PRIMERA: ¡Jesús, María y José! Eso no es posible.

SEÑORA TERCERA (*A media voz*): El pobre está tan trastornado que no sabe lo que dice.

SEÑORA SEGUNDA: Pero vendremos de todas maneras.

LOS MUCHACHOS: Adiós, señor Estrada. Adiós, ingeniero. Ya sabe usted cuánto sentimos . . .

GUILLERMO: Gracias, muchachos, gracias. (*Detiene a uno, le toma una mano y luego el mentón.*) A ti no te recuerdo. (*Se inclina.*) ¿Cuántos años tienes?

EL MUCHACHO: Catorce, señor. (GUILLERMO *no dice nada. Mira al vacío sin soltar la mano del chico, que se muestra un poco atemorizado y al fin se retira reuniéndose con las demás afuera.*)

JACINTA (*Hablando entre dientes con tono conmovido*): Pues ha de haber rosario. ¿Cómo no ha de rezar uno porque Dios le perdone su pecado al niño Daniel? (*Cierra la puerta derecha.*)

GUILLERMO: Catorce años. (*Se pasa la mano por los ojos, tose un poco para aclarar su voz, que de gris se ha vuelto oscura*): Jacinta, limpie bien la sala y quite esas velas y esos candelabros. Todas esas sillas a su lugar. No quiero que la señora vuelva a ver esto.

JACINTA: Está bien, señor. (*Entre dientes y casi llorosa.*) Pero ha de haber rosario. (*Obedece, arregla todo y sale después; podrá volver y salir de nuevo. No debe oír la conversación entre* GUILLERMO *y* FELIPE.)

Entra el PROFESOR.

EL PROFESOR: Perdone usted, querido ingeniero, pero encontré abierta la puerta del zaguán. (*Tiende las dos manos.*) Mi pésame más conmovido—más conmovido. Hubiera yo querido asistir al sepelio, pero mis clases, usted sabe . . .

GUILLERMO (*Con gran esfuerzo*): Gracias, señor profesor. Siéntese usted. (*Saca mecánicamente un cigarrillo y se lo lleva a la boca.*)

EL PROFESOR: Daniel era un muchacho muy inteligente, ingeniero, muy inteligente. ¡Es una verdadera lástima que se haya—que haya sucedido esto! (GUILLERMO *no escucha.*) No podría decirse que era un buen estudiante desde el punto de vista de la rutina, de la disciplina, no. Pero cuando quería estudiar, era el muchacho más inteligente de la clase.

GUILLERMO (*Vago*): Muchas gracias.

EL PROFESOR: Muy sensitivo, además, muy fácil de herir. A menudo, por una fruslería, por una cosa entre muchachos, perdía—hmmm—el equilibrio. Y callaba mucho.

GUILLERMO (*Volviendo lentamente a las cosas*): Sí, en efecto. Creía yo que eso le pasaba más bien aquí.

EL PROFESOR: Otras veces era muy locuaz. (*Pausa.*) Era un muchacho—¿cómo decirlo?—raro, desconcertante. Por eso no me sorprendió mucho que . . . (*Se reprime.*)

GUILLERMO: ¿No son todos los niños así, a esa edad? No se sabe cómo son ni lo que son—es como si no fueran de ningún modo todavía.

EL PROFESOR: Naturalmente, naturalmente. Pero él siempre me pareció más apasionado que sus compañeros, con una mayor dosis de amor propio—y a veces indiferente a todo. Recuerdo que en una ocasión, por ejemplo, sus compañeros le hicieron burla por algo que dijo acerca del ablativo—o del genitivo, no recuerdo ya. Pues pasó una semana documentándose, acumulando pruebas de que tenía razón, y nos hizo una demostración notable. Yo mismo no sabía tanto sobre ese punto como él. Claro está que no puede uno saberlo todo. Otra vez, en cambio, tuve que reprenderle—usted sabe lo que es el deber—porque incurrió en una falta de ortografía elemental. No me prestó la menor atención. Cuando terminé de hablar, me di cuenta de que no había oído una palabra; su cabeza no estaba allí. Me dijo: «Claro que sé cómo se escribe; pero, ¿por qué ha de ser así? Hasta las flores cambian, ¿por qué no han de cambiar las palabras?» Era raro, no hay duda—una mezcla de . . . de . . . (*Se detiene.*)

GUILLERMO (*Impaciente*): Sí, sí.

EL PROFESOR: Pero casi me olvidaba ya. Comprendo que no es el mejor momento. Sin embargo, me parece que . . .

GUILLERMO (*Hace un gran esfuerzo*): ¿Sí?

EL PROFESOR: Me pongo en el lugar de usted y encuentro que es enfadoso; pero también me pongo en el lugar de él, y . . . (*Como si se registrara los bolsillos, busca sus palabras.*) Verá usted, hay un muchacho, compañero de banca de Daniel . . .

GUILLERMO (*Oscuro*): Daniel . . .

EL PROFESOR: Yo creo que se agita innecesariamente, sin . . . fundamento; pero se trata también de un chico muy sensitivo, muy . . . ¿No quiere usted verle?

GUILLERMO (*Después de una pausa*): ¿Para qué?

EL PROFESOR (*Encontrando al fin el camino*): Está muy excitado desde que Daniel . . . desde la . . . en fin, desde el martes que supo la noticia. Y me ha dicho que quiere hablar con usted, que se trata de algo muy importante.

GUILLERMO: ¿Importante? ¿Qué?

EL PROFESOR: No lo sé, pero sin duda es algo relacionado con Daniel. Eran inseparables.

GUILLERMO (*Súbitamente interesado*): ¿Quién es?

EL PROFESOR: Se llama Felipe Suárez.

GUILLERMO: Es extraño.

EL PROFESOR: ¿Cómo?

GUILLERMO: Mi hijo tenía un amigo inseparable y yo no lo sabía. Nunca le trajo a casa.
EL PROFESOR: Bueno, así son los muchachos, ya sabe usted. Está aquí afuera, esperando. ¿Quiere usted verle?
GUILLERMO: Por favor.

EL PROFESOR sale; GUILLERMO se levanta y permanece de pie, con los brazos caídos y los ojos muy abiertos. EL PROFESOR regresa un momento después acompañado de un chico de catorce años, delgado y pequeño, pero sano, limpio y agradable.

GUILLERMO (*Sin dar tiempo a una presentación*): ¿Usted era amigo de mi hijo? ¿Es usted Felipe?
FELIPE (*Cortado, casi sin aliento*): Sí, señor.
EL PROFESOR: Si usted me permite, señor ingeniero, yo tengo que retirarme. No, no se moleste usted. Buenas tardes, y mi pésame más sincero—más sincero. (*Sale moviendo la cabeza; se vuelve ligeramente en la puerta.*) Adiós, Felipe.
FELIPE: Hasta luego, profesor. Y gracias.

GUILLERMO devora con los ojos al niño, cada vez más turbado, que enrojece. Pausa. Al fin:

GUILLERMO: Siéntese usted.
FELIPE: Gracias, señor. (*Se sienta.*)
GUILLERMO: ¿Quería usted hablarme?
FELIPE (*Con gran timidez*): Señor, nadie me habla nunca de usted—sólo mi mamá y el profesor, cuando se enojan. ¿No quiere usted tutearme?
GUILLERMO: ¿Querías hablar conmigo?
FELIPE: ¡Cómo se parece usted a Daniel!
GUILLERMO (*Con una fugaz sonrisa*): Él se parecía a mí, es cierto. El profesor me dijo que te pasa algo. (*Adopta*

insensiblemente el tono en que solía hablar a su hijo.) ¿Qué es?

FELIPE: La verdad, no sé cómo empezar, señor. Daniel y yo éramos muy amigos; pero siempre estábamos discutiendo. (*Se detiene.* GUILLERMO *se sienta entonces cerca de él y le pone una mano en el hombro.*)

GUILLERMO: ¿Sí?

FELIPE: Pues sí. Y hace dos semanas que no hacíamos más que discutir. Y . . .

GUILLERMO: ¿Sobre qué asuntos discutían?

FELIPE (*Se detiene y palidece. Alguna idea terrible le viene a la cabeza, porque se cubre la cara con las manos*): No—¡no puedo! ¡No puedo decirlo!

GUILLERMO (*Le retira suavemente las manos de la cara; el chico está a punto de llorar*): No pierdas la cabeza, Felipe. Dime lo que sea.

FELIPE: Es que tengo miedo . . .

GUILLERMO: ¿De qué, hijo?

FELIPE: De . . . de haber tenido la culpa de que Daniel se . . . se . . . suicidara.

GUILLERMO (*Conmovido, con una excitación inversa*): Eso no puede ser. Dime por qué piensas así.

FELIPE (*Casi llorando*): No hablaba más que de matar—de los matados, y yo le decía que nadie tiene derecho a matar.

GUILLERMO: ¿Matar? Pero, ¿en qué términos lo decía? ¿Matar a quién?

FELIPE: No se enoje usted.

GUILLERMO: No, hijo, no. Pero me interesa saber qué decía.

FELIPE: No sé. Preguntaba qué se sentiría después de matar a un hombre, y que qué era mejor para matar, si la pistola o el puñal, y cosas así. Hasta que el lunes . . .

GUILLERMO: ¿El lunes? ¿De esta semana?

FELIPE: Sí. (*Se detiene, reflexiona.*) Estábamos discutiendo de lo mismo, cuando pasó un carro y atropelló a un perrito. El perrito dió un alarido horrible, y Daniel se puso blanco y gritó. Entonces yo le dije que para qué hablaba de matar, que él no podía matar a nadie—que no más presumía, pero que era (*Baja la voz y la vista*) —un cobarde. Y la misma noche—la misma noche...

GUILLERMO (*Pasándole la mano por la cabeza*): No te pongas así. Cálmate, Felipe.

FELIPE: Y tengo miedo de que se haya matado por eso. Por eso no vine al velorio, ni al entierro. Pero no pude resistir ya.

GUILLERMO: Hiciste bien en venir, Felipe; te lo agradezco. Y no pienses en esas cosas. Tú no tienes culpa ninguna de lo que ha pasado.

FELIPE: ¿De veras?

GUILLERMO: Te lo aseguro. (*Le da la mano con gran bondad.*) Dime una cosa: ¿dices que eras muy amigo de Daniel?

FELIPE: Muy.

GUILLERMO: ¿Por qué no te trajo nunca a casa?

FELIPE: Un día me dijo que a su mamá no le gustaba que trajera amigos. Pero después me contó que usted se lo prohibía, que usted no le dejaba tener amigos. Y hace muy poco, me dijo que...

GUILLERMO: ¿Sí? Habla sin miedo.

FELIPE: Es que me da pena decirlo. Me contó que usted le había pegado porque salía con un amigo—Luis.

GUILLERMO: ¿Pegado? Felipe, te doy mi palabra de que ni una sola vez en quince años pegué a Daniel. Tú me crees, ¿verdad?

FELIPE: Sí, señor.

GUILLERMO: Nunca. No entiendo por qué lo dijo—para qué. Nunca. No me gustaba Luis para compañero suyo; tú sí. Pero ahora veo que no conocí a mi hijo; que nunca supe lo que pensaba. Yo no ocultaba las cosas cuando tenía su edad, no mentía a mi padre, no contaba... Toda su vida estuve observándole, tratando de ser su compañero, su amigo—y no pude. Mi hijo. Padre e hijo. ¡Es absurdo! (*Está terriblemente conmovido, con la misma excitación introvertida de antes pero llevada al extremo.*)

FELIPE: Dispénseme usted.

GUILLERMO: Tú no tienes la culpa. Ninguna culpa. Te agradezco que hayas venido. Mira (*Espacia los ojos buscando algo y al fin va al piano de donde toma el estuche de grafios del primer acto*), esto era de Daniel —fué el último regalo que le hice. Quiero que sea tuyo.

FELIPE: Tan orgulloso que estaba de su estuche.

GUILLERMO: Te suplico que lo conserves—como un recuerdo de él, de su amistad. Cada vez que lo mires, recordarás lo que te he dicho: no fué culpa tuya.

FELIPE: Pero, entonces, ¿por qué se . . . ?

GUILLERMO: No lo sé. (*Pausa.* FELIPE *mira hacia la puerta.*) ¿Te vas ya?

FELIPE: Sí, señor. Mi mamá me espera. Adiós. (*Tiende la mano, que* GUILLERMO *no toma.*)

GUILLERMO: ¿No querrías darme un abrazo?

FELIPE: ¡Oh, sí, señor! (*Se abrazan y se estrechan la mano con graveded.*) Adiós, señor.

GUILLERMO: Adiós . . . Daniel.

[VIII]

FELIPE *sale.* GUILLERMO *queda solo, pensativo, evidentemente torturado por la escena anterior. Entra* JACINTA.

JACINTA: Dice la niña Marta que quiere hablar con usted, señor Guillermo.

GUILLERMO: Voy. (*Llega lentamente a la puerta, se detiene y se vuelve también con lentitud.*) Dígame, Jacinta, ¿cuántos años ha estado usted con nosotros?

JACINTA (*Reflexiona*): No me acuerdo bien, señor Guillermo —creo que . . . sí, eso es: desde la toma de Juárez.[14]

GUILLERMO: ¿Me vió usted alguna vez, en todo ese tiempo, maltratar a mi hijo . . . pegarle?

JACINTA: ¡Válgame, señor Guillermo! ¡Nunca! Sí, le consentía usted demasiado. Yo lo dije siempre. (*Disimuladamente se toca la cabeza y mira al cielo. Su expresión no dará ningún efecto cómico.*)

GUILLERMO: Gracias, Jacinta. (*Se prepara a salir cuando entra* MAURICIO, *vestido de negro.*)

MAURICIO: Aquí tiene usted todos los papeles del panteón.

GUILLERMO: Gracias.

MAURICIO: ¿Cómo sigue Marta?

GUILLERMO: No sé. Déjenos, Jacinta. (*Mutis* JACINTA.) Quiero hablar con usted, Mauricio.

MAURICIO (*Nervioso, pero resuelto*): Usted dirá.

GUILLERMO (*Después de cerrar las dos puertas*): Quiero darle las gracias por su amistad y por su . . . lealtad.

MAURICIO: Dice usted eso de una manera extraña.

GUILLERMO: Sí. Es extraño que sea su lealtad lo que agradezco, pero así es. Pasaba usted demasiado tiempo en mi casa, y a pesar de eso se ha portado como un hombre.

MAURICIO: ¿Qué quiere usted decir?

GUILLERMO (*Cansado; se sienta e indica una silla a* MAURICIO *con un ademán*): Usted lo sabe bien, y yo sé que mi mujer no ha ido muy lejos con usted. Pero no es esto lo que me interesa ahora. Quiero que me diga lo que sepa de Daniel, Mauricio.

MAURICIO (*Extrañado*): ¿De Daniel?

GUILLERMO: ¿Tiene usted alguna idea del motivo que pueda haber determinado su . . . suicidio? ¡Es tan absurdo todo!

MAURICIO: No sé nada. (*Se sienta, tieso, a la orilla de la silla.*) Era un chico raro; nunca sabía uno lo que estaba pensando. Conmigo fué frío y hasta desatento por mucho tiempo—y es extraño, ahora lo veo. En las últimas semanas me trató mejor, con afecto casi.

GUILLERMO: Dígame la verdad. ¿Nunca le oyó a usted enamorar a mi mujer?

MAURICIO: Guillermo . . .

GUILLERMO: Contésteme.

MAURICIO: Antes quiero decirle esto: nadie se manda en el amor, y yo me enamoré de Marta a pesar mío; pero la he respetado siempre.

GUILLERMO: Ya sé, ya sé. Por eso no me importa que usted esté enamorado. La conozco y sé que no ha podido faltar sino con el pensamiento; pero hace mucho tiempo que estamos desunidos, y no me interesa lo que Marta piense. Lo que quiero saber es si está usted seguro de que nunca los oyó conversar, de si no fué una conversación entre ustedes lo que . . .

MAURICIO: ¿Lo que le mató? Comprendo que quiera usted culparme, aunque diga que no le interesa mi amor por Marta. ¿Por qué no se pregunta usted más bien si no se mató Daniel porque estaba enfermo de oírle a usted reñir con Marta? ¿Por qué quiere que yo tenga la responsabilidad? Es su rencor . . .

GUILLERMO: No pretendo culpar a nadie; quiero saber. En esta casa no hubo nunca más que un padre y un hijo—la mujer, la madre, estaba como en otro mundo—y sin embargo, no estaba con usted. Estoy seguro. Después Daniel empezó a dejar de quererme—en este último mes, sobre todo . . . Y ahora el hijo ha muerto, se ha suicidado, y no queda más que el padre—un padre que no sabe, que quiere saber por qué ha perdido a su hijo. Usted y mi mujer no importan. Pero puede haber sido eso. Comprenda usted, se lo ruego, trate de recordar si no . . .

MAURICIO: Mis conversaciones con Marta siempre fueron discretas, y la respeto demasiado para . . .

GUILLERMO: Hablemos de Daniel. ¿Las oyó?

MAURICIO: No sé. Si las oyó no puede haberlas entendido, aunque leía novelas, ahora recuerdo.

GUILLERMO: ¿Novelas? ¡Ah, sí! Novelas de aventuras, libros de historias . . .

MAURICIO: No; novelas francesas—*Teresa Raquin*.[15] Marta se la recogió delante de mí.

GUILLERMO: Dígame: ¿pudo alguna vez ver algo? ¿Tuvo algo que ver aquí—entre ustedes?

MAURICIO: Nunca. En dos años sólo una vez he besado la mano de Marta. Usted la conoce tanto como yo para saber que no puede proceder de otro modo.

GUILLERMO: ¿Puedo adivinar algo entonces? ¿Fueron esas conversaciones siempre tan discretas como usted dice?

MAURICIO: Siempre. (*De pronto*.) Sólo una vez hablamos claramente—no de amor, sino de la situación moral de los tres—yo pedí a Marta que se divorciara. Fué a raíz de uno de esos disgustos de ustedes . . .

GUILLERMO: ¿Y Daniel oyó eso?

MARTA *que en toda apariencia ha estado escuchando detrás de la puerta derecha, la abre de pronto, sin ruido y permanece en el umbral.* MAURICIO *la mira; ella le hace seña de negar.*

MAURICIO (*Después de una breve vacilación*): No.

GUILLERMO: ¿Me da usted su palabra? (MAURICIO *duda; mira a* MARTA.)

MARTA (*Adelantándose, serena, fría, fuerte*): Aquí está el señor notario, Guillermo. Me dijo que se instalaría en el comedor.

GUILLERMO: ¿Me da usted su palabra?

MAURICIO (*Sin mirarle*): La tiene usted.

GUILLERMO: Gracias. (*Hace mutis por la derecha, con lenta decisión.*)

MAURICIO: Tu marido lo sabe todo.

MARTA (*Con un gesto indiferente*): Yo se lo dije anoche.

MAURICIO: ¿Con el cadáver de Daniel aquí . . . ?

MARTA: Le dije que Daniel era lo único que me había retenido a su lado.

MAURICIO: Pero, ¿con qué objeto?

MARTA: Era hora ya—la hora precisa. Le dije que quería divorciarme para casarme contigo.

MAURICIO: ¿Qué hizo?

MARTA: Nada. No hizo nada—no dijo nada. Ibas a hablarle ahora de la noche en que creímos que Daniel nos había oído, ¿verdad?

MAURICIO: ¿No crees que Daniel nos oyó entonces? Fué la única vez que pudo . . .

MARTA: La noche en que Daniel se quedó dormido aquí, en ese sillón. La noche en que descubrimos que era sonámbulo. No hay que decírselo, Mauricio—¡no hay que decírselo!

MAURICIO: Me da lástima. Está atormentado por alguna idea, quiere saber por qué se mató su hijo. Es lo único que le importa. Y ahora que pienso en eso . . . Sí, eso explicaría las cosas. Daniel se mató dormido. Marta, estoy seguro. ¿Por qué no decírselo para darle un poco de tranquilidad?

MARTA: No.

MAURICIO: Déjame decírselo yo entonces, que le cuente cómo descubrimos el sonambulismo de Daniel, que le sugiera la idea de que Daniel se mató estando dormido. Así quedaremos verdaderamente liberados.

MARTA: Mauricio . . . (*Él se acerca un paso, ella le toma las manos y se las oprime.*) ¿Es la verdad lo que quieres decirle a Guillermo?

MAURICIO: Se la debo. Después de eso nos iremos juntos. Irás a vivir con mis hermanas mientras se arregla tu divorcio.

MARTA (*Con gran serenidad*): Entonces no le digas eso, porque no es la verdad.

MAURICIO: ¿Qué quieres decir?

MARTA: Daniel estaba despierto cuando se mató, Mauricio.

MAURICIO: No puede ser; ésa es la única explicación posible de . . . ¿Cómo sabes tú que no estaba dormido?

MARTA: Porque yo le vi suicidarse.

MAURICIO: ¡Marta! (*Pausa.*) ¿Y no hiciste nada? ¿No se lo impediste?

MARTA: No pude, Mauricio. No pude, te lo aseguro.

MAURICIO: Pero debe de haber sido horrible para ti.

MARTA: Yo no creía que una liberación pudiera ser tan espantosa.

MAURICIO: ¿Cómo puedes decir eso? Era tu hijo, Marta. ¿Y lo dices así . . . ?

MARTA: Me siento liberada.

MAURICIO: No entiendo. Quiero que te expliques, Marta, quiero toda la verdad—pero toda.

MARTA: Siéntate aquí, conmigo. Dame tus manos. Son buenas, frescas, las necesito. Nunca dije a nadie lo que voy a decirte, Mauricio, y no volveré a decirlo mientras viva.

MAURICIO: Pareces otra mujer.

MARTA: Soy otra mujer. Aquella noche que descubrimos lo de Daniel, yo estaba ya desesperada de mi vida. Te dije que no sabía por qué no se moría Guillermo. Tú me preguntaste si estaba yo loca.

MAURICIO: Recuerdo que te alteraste excesivamente.

MARTA: Después, cuando Daniel nos dijo que iba a la escuela, tuve miedo y te pedí que me protegieras.

MAURICIO: Recuerdo. No quisiste decirme de qué.

MARTA: De mí misma, de lo que estaba pensando; pero era imposible, ahora lo entiendo. Tenía que ser así.

MAURICIO: No me has explicado nada aún, Marta.

MARTA: Creí que sería fácil. Ahora no sé por dónde empezar. (*Pausa. Hace un esfuerzo de concentración.*) Mauricio, esa noche pensé que Daniel, así, dormido, ¿entiendes?, en un acceso de sonambulismo, podría . . . sin que nadie le culpara . . . matar a su padre.

MAURICIO: Me dueles, Marta.

MARTA: Déjame hablar. Ahora tengo que decírtelo todo. Lo pensé en un segundo. ¿Por qué pensamos tan rápidamente? Cuando vi que Daniel me obedecía y me hablaba sin despertar, sentí miedo. Desde esa noche empecé a prepararle. Cuando dormía, yo iba a su cuarto; esperaba hasta que se levantara dormido. No fué fácil al principio, después sí. Le hablaba yo, le decía que su padre me hacía daño, le ponía ideas en la cabeza, y cada día siguiente era más seco con Guillermo. Ya no eran los dos contra mí, como antes. Empecé al fin a decirle que tenía que matarle, que le matara. El lunes en la noche le di la pistola y le dejé salir de su cuarto.

MAURICIO: ¡Marta! (*Pausa.*)

MARTA: Mauricio, eso no es . . . (*Se contiene.*) Ahora ya lo sabes, Mauricio. (*Hace ademán de irse.*)

MAURICIO (*Todavía aturdido*): ¿Eso hiciste por . . . por mí, Marta, por mí? (*Ella asiente en silencio. Leve pausa.*) Marta, vas a irte de aquí conmigo en seguida, ¿entiendes? en seguida. (*Ella le mira.*) ¿O dudas?

MARTA: No, Mauricio. Contigo, y en este momento, si no te doy horror.

MAURICIO: ¡Lo que habrás sufrido! Vámonos.

[IX]

Se dirigen a la puerta de la derecha. MARTA *se detiene de pronto, como convertida en una estatua.*

MARTA: No . . . no puede ser, Mauricio. Creí que podría, pero no . . . no.

MAURICIO: ¡Marta!

MARTA: Tengo que decírtelo todo primero. Ven aquí, siéntate. (*Le hace sentar y se sienta a su lado.*) Tus manos. Yo no sé qué pasó en la sala esa noche, Mauricio, por qué Daniel no mató a su padre. Sé que Daniel despertó. Le vi cuando se ponía la pistola en la boca y no pude hacer nada para detenerle. Tuve que dejar que se matara. Pero ahora ya sé por qué. (MAURICIO *hace un movimiento.*) No digas nada o no podré seguir. Odio a Guillermo porque es un fracasado, pero sé que yo soy quien le hice fracasar. Estaba tan serena y ahora no puedo... me da miedo contártelo. ¿Sabes por qué nunca quise fugarme contigo a otra vida?

MAURICIO: Por tu religión, por tu honradez.

MARTA: No. Soy tan capaz de cualquier cosa como cualquier mujer honrada. Pero he pasado toda mi vida perseguida por una sola idea, clavada por un solo miedo. Tú no sabes, pero Guillermo no conoció a mi madre, ni a mi hermano; mi hermana y yo le dijimos que estaban fuera de México, viajando de un lugar a otro porque el trabajo de mi hermano lo exigía así. Me casé con Guillermo porque quería huir.

MAURICIO: ¿De tu casa, de tu familia? ¡La familia es a veces un lastre tan pesado!

MARTA: Huir de mí misma. Por huir de mí misma te mentí la otra noche. Me he pasado la vida huyendo. Desde entonces obligué a mi marido a ir a la provincia, primero a un lugar, luego a otro, cualquier parte menos México. Cuando Daniel cumplió cinco años, empezó la revolución. Guillermo se hizo maderista. Primero quería ser un gran arquitecto. Me ofreció llevarme a Europa. Yo no quise... tuve miedo. Quería quietud, quería desiertos, y nos instalamos al fin en Torreón contra su voluntad. Después fuimos a Chihuahua. Un día llegó la noticia de la muerte de mi hermano. Tuve que ir a México sola, contra la voluntad de Guillermo, que quería acompañarme. Cuando volví le pedí que nos fuéramos a Europa; pero entonces ya no tenía dinero. Lo que no había gastado en aquellos viajes, se lo habían robado; lo que no le habían robado, lo había invertido en la revolución. No tenía un centavo. Entonces comprendió que estábamos separados. Más de una vez, durante la revolución, quiso enviarme a México. Yo me opuse. No volví sino hace dos años, cuando murió mi madre.

MAURICIO: Estás temblando y te atormentas. ¿Por qué ese empeño en alejarte de tu familia?

MARTA (*Toma aliento. Se cubre la cara y la sacude un sollozo. Se descubre, se serena poco a poco y luego, simplemente*): Mi madre estaba loca, Mauricio. Mi hermano estaba loco. Toda mi familia es de locos.

MAURICIO (*Helado*): ¡Marta!

MARTA: Todos, te digo, todos. Mi abuelo... su padre... ¡todos! Yo alcancé a conocer a mi abuelo... y era horrible. Viví siempre en un mundo de gente loca, ¿comprendes?

MAURICIO: Pero si sabías que ellos estaban locos, tú...

MARTA: Yo no lo estaba. ¡Claro! Pero sufrí desde siempre el miedo de llegar a estarlo. Mi hermano lo fué desde niño; pero mi madre, en cambio, se volvió loca ante mis ojos sin que nada pudiera impedirlo.

MAURICIO: Pero, los doctores...

MARTA: Nos quedamos en la miseria pagando sus honorarios. Y fatalmente, cada vez que un médico se presentaba, era peor para el enfermo. Mi madre empezó por pequeñas extravagancias. Salía a la calle y se pasaba el día fuera, paseando en *calandria*, invitaba a comer a los cocheros y les regalaba ropa, paquetes enteros de cigarros. Yo sabía lo que le pasaba y no quería llamar a un médico. Sabía que ella lo sabía, que había luchado contra eso. Un día prendió fuego a la casa. Vino un especialista... y se acabó. Primero el hospital, luego el pabellón de primera en Castañeda;[16] luego, cuando nos quedamos sin dinero, la... la fosa común. ¿Comprendes?

MAURICIO: ¡Mi pobre Marta!

MARTA: Sí, tu pobre Marta. Llegó Guillermo y me casé. Pero me aterraba la idea de volverme loca en Europa, de quedarme allá. Vivir en México era imposible. Mi hermana y yo estábamos espiándonos siempre, acechando cada una los síntomas del mal en la otra. Era una persecución implacable, otra locura. ¿Entiendes, entiendes? Por eso Daniel me causó horror desde que nació. Y luego, me buscaba yo en los espejos. Cuando la gente se fijaba en mí en la calle, corría a mirarme a un espejo pensando que ya había sucedido. Y luego apareciste tú, y yo no quise que te llevaras a una loca contigo. Por eso . . .

MAURICIO: Pero, ¿no ves, Marta, no puedes ver ahora, al fin, que no estás . . . ? Olvida esa pesadilla.

MARTA: Desde la noche que se mató Daniel sé que no estoy loca, Mauricio. Cuando le vi acercarse la pistola me clavé las uñas en las manos, apreté los dientes, pensé que ya no tenía remedio, que había llegado mi hora. Pero él disparó y yo sentí que respiraba más libremente. Comprendí, hasta ese momento, que el loco era él. No yo. Y que era mejor que se matara . . . mejor que el manicomio.

MAURICIO: Muy bien, ahora voy a hablar yo, Marta. En una hora mi amor por ti se ha hecho más maduro, más humano. Te creía fuerte y heroica, pero menos de lo que eres, y no sabía que fueras tan niña y que necesitaras protección a tal grado. Pensé que podrías ser una aventura, porque no eras feliz en tu matrimonio. Luego empecé a enamorarme. No eras el ideal . . . pero, ¿lo era yo? Y me alegro en este momento de que la vida haya sido como fué para mí: de no haber vivido, de no haber amado, de no haber sido amado, de no haberme casado antes, de no haber tenido hijos con ninguna mujer. Todo era tan razonable en mi vida que pensé en suicidarme porque no podía enloquecer ni amar. Pero las cosas toman su forma por sí solas. Vámonos, Marta. Despídete de Guillermo, pero no te lleves nada de él. Nada te liga ya a ese hombre.

MARTA: Piensa que le hice fracasar, que destruí todos sus planes, que le reduje a la sombra de sí mismo.

MAURICIO: Pero nunca lo quisiste.

MARTA: Pero le destruí, y no lo merecía, a pesar de todo.

MAURICIO: No fué culpa tuya. Lo que pesaba sobre ti era más fuerte. Vámonos ya.

MARTA: Me hacen tanto bien tus palabras. Pero, si quisieras, sería mejor mañana.

MAURICIO: ¡Ah, no! Ha de ser ahora mismo. Marta, compréndelo. Yo no puedo esperarte una sola noche más. Todo el pasado se acabó con Daniel, tienes que olvidarlo.

MARTA: ¿Me atreveré a quererte sin cuidado, sin zozobra? Tú siempre has deseado tener hijos. ¿Me atreveré a darte uno sin angustia? No tengo derecho.

MAURICIO: Lo importante somos tú y yo. Lo demás no es nada.

MARTA: No seríamos felices.

MAURICIO: No seríamos infelices nunca. Ya no soy un niño, Marta. Puedes creerme si te digo que prefiero tenerte a tener un hijo. Nuestros hijos no han nacido, pueden no nacer, por lo tanto; pero tú y yo hemos nacido, existimos, hemos esperado mucho tiempo. Somos lo que el mundo nos reservaba de bueno y no vamos a sacrificarlo por una sombra.

MARTA: Pero es que tú podrías casarte con otra mujer, tener hijos, vivir como los demás hombres.

MAURICIO: Bien sabes que no hay más mujer que tú para mí. Por ti me he abstenido, a ti te he esperado. Vámonos de aquí, hablaremos de esto en otro mundo, en otra vida, Marta.

MARTA (*Muy quieta*): Mauricio, escúchame. Todavía puedo volverme loca; pero por el momento lo veo todo con claridad. Si me fuera yo contigo y acabara por perder la razón, o si olvidáramos un día lo que hemos hablado y llegáramos a tener un hijo, sería loco, y lo consideraría yo como un castigo de Dios por lo que hice con Daniel. Pero, ¿por qué habrías de recibir tú ese mismo castigo? No sería justo.

MAURICIO: No quiero oír nada más. Vendrás conmigo ahora mismo; dejarás una carta de despedida.

MARTA: Por favor, mi vida. Odié mucho a Guillermo; ya no le odio. No le quiero, pero le debo algo por haber hundido su vida, por haberle quitado todo, hasta su hijo. Él dice que no le importó, pero en el fondo, nos ligan quince años de vida común, de odio mutuo. El obstáculo que sentíamos era mi miedo, que ya no existe. Daniel, que ha muerto. Tampoco a él le daría yo nunca otro hijo, pero debo hacer algo por él. Y quiero que tú vivas y tengas hijos, que no entres en este círculo de horror en que entró Guillermo.

MAURICIO: Yo quiero que . . .

MARTA: Yo sola sé lo que él quería hacer en otro tiempo; yo sola puedo estar cerca de él y recordárselo constantemente para que todavía logre hacer algo.

MAURICIO: Es que yo no puedo perderte, Marta. Si te quedas con él, hundes mi vida. Él ya vivió, ya está fracasado y muerto, tú misma lo dijiste; pero yo no.

MARTA: Por eso.

MAURICIO: Por eso debes venir conmigo. Si no estuvieras cuerda, no habrías resistido lo que ha pasado, no vivirías ya. Olvida tus ideas y vámonos, Marta ¡por amor de Dios!

MARTA: Hay un pensamiento que no me dejará nunca: le quité a su hijo.

MAURICIO: Ya no puedes devolvérselo, lo sabes bien.

MARTA: ¿Quién sabe?

MAURICIO: ¡Marta! No le quieres, ¿verdad? Lo has jurado.

MARTA: No, no le quiero.

MAURICIO: Entonces, ¿por qué dijiste eso?

MARTA: No sé. Acaso porque él mismo me lo pedirá; o porque podré dárselo en la forma del edificio que quiere construir, en la forma de cualquier ilusión realizada.

MAURICIO: Marta, supón que Daniel hubiera hecho lo que tú querías: que hubiera matado a su padre. Habrías venido conmigo, ¿verdad?

MARTA: Eso creía. Ahora sé que hubiera tenido que quedarme a su lado.

MAURICIO: Mataste a tu hijo, le mataste por mí, y yo soy tu cómplice, ¿entiendes? Callaré solamente si vienes conmigo.

MARTA: Eres inhumano; me haces daño.

MAURICIO: Pero si no vienes, lo gritaré, lo sabrán todos. Las gentes, los perros, los árboles me oirán proclamar a gritos lo que has hecho, que mataste a tu hijo, que . . .

MARTA (*Muy pálida, en voz baja*): Vete, Mauricio, vete. Estás volviéndote loco.

MAURICIO: También yo lo estoy. Todos lo estamos, Marta. (*Se cubre la cara.*) Perdóname, no sé . . . Te quiero, y este amor crece más a cada momento y me ahoga . . . Perdóname.

LA VOZ DE GUILLERMO (*Fuera de escena*): Gracias por todo, abogado. Buenas noches.

Entra GUILLERMO, *agobiado, lento siempre. Hay un gran silencio a su entrada.* MARTA *y* MAURICIO *se han separado, yendo a los dos extremos de la escena, de cara al público. Él se sitúa al fondo centro y habla sin que ellos se vuelvan a verle.*

GUILLERMO: ¿Qué pasa? Ustedes han estado hablando de Daniel; quizás han recordado algo, han descubierto algo. Necesito saberlo, tengo derecho . . . Exijo . . . Marta, dime la verdad. Te daré el divorcio a cambio de ello. ¿Qué sabes? ¿Sabes por qué se mató Daniel? (*Un sollozo anubla su voz.*) ¿O se mató por vergüenza del fracaso de su padre?

MARTA (*Lenta, firme, lejana*): No, Guillermo, no sé nada.

71

GUILLERMO: Mauricio, ¿usted . . . ?
MAURICIO (*Va a hablar, a gritar; ni* MARTA *le mira ni él mira a* MARTA. *Se contiene con un gran esfuerzo*): No sé nada, Guillermo.
GUILLERMO (*Pensativo*): Quisiera creerlo. ¿No voy a saber nunca por qué, quién, qué me ha dejado sin mi hijo? ¿Me juras, Marta . . . ?
MARTA (*Sin volverse*): Te lo juro.
MAURICIO (*Mismo juego*): Se lo juro, Guillermo.
GUILLERMO: Tendré que creerlo entonces. Tendré. Marta, he vendido esta casa; el notario acaba de tirar la escritura. Los muebles también los he vendido. Todas mis cosas están empacadas y voy a tomar el primer tren para México. Tú harás . . . lo que quieras.

Una pausa. MARTA, *después de un momento, se vuelve y se dirige sin hablar a la puerta izquierda.*

GUILLERMO: ¿Qué vas a hacer?
MARTA (*Con una gran fatiga y una gran sencillez*): Voy a empacar mis cosas, Guillermo. Permíteme que vaya contigo.

Sale, erguida, sin volver la cabeza. MAURICIO *permanece un momento aún en la misma inmovilidad. De pronto se dirige mecánicamente a la puerta derecha y sale. Un instante después se oye golpear violentamente la puerta del zaguán.* GUILLERMO *mira con extrañeza en torno suyo. Está pensando, interrogando; se siente que pasará así el resto de su vida, que se trata de un gesto perenne. Mueve varias veces la cabeza, mira los muebles uno por uno y va al fin hacia el sillón situado en primer término. Apoya las manos en el respaldo y lo acaricia automáticamente. De pronto alza la cabeza, se pasa la mano por la frente con el gesto de quien recuerda algo. Va a la puerta izquierda y llama:*

GUILLERMO: ¡Marta!
MARTA (*Apareciendo un instante después*): ¿Qué quieres, Guillermo?
GUILLERMO: No puedo ir a México; te irás tú si quieres, yo me quedo aquí.
MARTA: Pero has vendido la casa.
GUILLERMO: Habrá otra. No puedo irme.
MARTA: ¿Dentro de unos días, quizás?
GUILLERMO: Nunca.
MARTA: Pero, ¿y tus planes, tus sueños, tu edificio? Ahora puedes realizarlos, tienes que realizarlos, Guillermo. Y si tú me dejas, y si yo puedo, te ayudaré a seguir adelante.
GUILLERMO: No, Marta. Aquí está enterrado Daniel. Me quedaré aquí, con Daniel.
MARTA (*Le mira lentamente. Ésta es la peor solución para ella. Al fin da un paso hacia él y dice*): Está bien, Guillermo, nos quedaremos aquí. (*Sale.*)
GUILLERMO (*Vuelve al sillón de primer término y acaricia mecánicamente el respaldo*): Con Daniel. (*Mira al frente, absorto.*)

En ese momento entran JACINTA *y el grupo de señoras enlutadas hasta la cabeza, que vienen al rosario.*

JACINTA (*Cuchicheando*): Voy a traer más sillas y a avisar a la niña Marta.
UNA SEÑORA (*Mismo juego*): Está bien, está bien.

Todas se instalan presurosa y silenciosamente, agitando sus chales negros, sus pañuelos, sus rosarios.
GUILLERMO *vuelve al fin, lentamente, la cabeza, y las mira una a una.*

otra señora (*Armándose de valor*): Don Guillermo, hemos
 venido...
guillermo: Sí, sí, por supuesto. (*Se sienta en el sillón de
 primer término, mirando siempre al frente, mientras
 las enlutadas juntan las cabezas, cuchicheando.*)

TELÓN

NOTAS

1. **Medio Tono.**
   Comedia en tres actos, escrita por Usigli en 1938, que se considera uno de los mejores dramas realistas de México. El autor en su *Discurso por un Teatro Realista* afirma: «*Medio Tono* es la mejor prueba de mi falta de interés personal en el teatro realista. Mi interés artístico, la persecución de una idea o de un clima poético, me hubieran hecho transformar en seres de excepción a estos personajes mediocres que debaten aquí su falta de pasión, entre repeticiones de moral de clase, aspiraciones frustradas en su propia mezquina medida, y deseos informes, impersonales casi. Esta tolerancia de mi parte es la que determina mi ausencia personal de la obra.»
2. **Primero don Jesús, y ahora don Venustiano.**
   La alusión a *don Jesús* se refiere al hermano de Venustiano Carranza que fué matado por los villistas durante la Revolución de 1910.
   Venustiano Carranza (1860–1920), ex-senador y gobernador del estado de Coahuila, fué elegido presidente en 1917. Promulgó una nueva constitución en febrero del mismo año. Cuando intentó nombrar a un civil como su sucesor, hubo mucha protesta de parte de los militares. Fué asesinado el 23 de mayo de 1920 al salir de la capital para Veracruz.
3. **. . . cuando mataron a Madero.**
   Francisco I. Madero (1873–1913), fué inaugurado como presidente de México el 6 de noviembre de 1911 después del destierro del general Porfirio Díaz, dictador entre los años siguientes: 1876–1879 y 1884–1911. Idealista pero inepto, Madero fué asesinado el 23 de febrero de 1913.
4. **. . . es tiempo de que Daniel vaya a hacer su preparatoria allá.**

En México una carrera profesional completa requiere 19 años, distribuídos como sigue: tres de kindergarten, seis de primaria, tres de secundaria, dos de preparatoria y cuatro o cinco de profesional.

5. El Infierno de Barbusse . . .

Henri Barbusse, literato francés, nació en París en 1873 y murió en Moscú en 1935. Era un idealista, pero al ver la tragedia y los horrores de la Primera Guerra Mundial, se convirtió en un antibélico y gran propagandista del comunismo. La obra que más fama le ha dado es *El Fuego* (*Le Feu*), 1916. Esta novela, que recibió el *Prix Goncourt* en 1917, es una obra de un realismo crudo y todavía figura como un sobresaliente cuadro de la guerra moderna. La novela *El Infierno* (*L'Enfer*), que apareció en 1908, es una intensa tragedia matizada de melodrama. Barbusse llegó a ser corresponsal del diario socialista, *L'Humanité,* dedicando la mayor parte de su vida a protestar contra las guerras. En 1932 organizó el primer Congreso Mundial contra la Guerra y el Fascismo. El año siguiente fué uno de los oradores del segundo Congreso celebrado en Nueva York.

6. . . . y unos poemas de López Velarde.

Ramón López Velarde (1888–1921), el mejor poeta mexicano de la generación posterior a la modernista. Su obra lírica se ha agrupado en *La Sangre Devota* (1916), en *Zozobra* (1919) y en la obra póstuma *El Són del Corazón.* Fué el precursor de la escuela de poetas nacidos en los aledaños del año 1900.

7. Zozobra.

Se refiere al segundo libro de poemas de López Velarde, que fué publicado en 1919. Su poesía en el volumen se disponía a incorporar el alma de México: la provincia, la iglesia de la villa, la ciudad, las muchachas de la aldea . . . todos elementos con un afán nacionalista de desarrollar una perfección absoluta en la imagen y en la expresión.

8. . . . una patética mendicidad de almendras fugitivas.

El poema que se intitula *Memorias del Circo* aparece en el volumen *Zozobra* de Ramón López Velarde. Nótense los versos completos que siguen:

*Los circos trashumantes,
de lamido perrillo enciclopédico
y desacreditados elefantes,
me enseñaron la cómica friolera
y las magnas tragedias hilarantes.*

*El aeronauta previo,
colgado de los dedos de los pies,
era un bravo cosmógrafo al revés
que, si subía hasta asomarse al polo
Norte, o al polo Sur, también tenía
cuestiones personales con Eolo.*

*Irrumpía el payaso
como una estridencia
ambigua, y era a un tiempo
manicomio, niñez, golpe contuso,
pesadilla y licencia.*

*Amábanlo los niños
porque salía de una bodega mágica
de azúcares. Su faz sólo era trágica
por dos lágrimas sendas de carmín.
Su polvosa apariencia toleraba
tenerlo por muy limpio o por muy sucio,
y un cónico bonete era la gloria
inestable y procaz de su occipucio.*

*El payaso tocaba a la amazona
y la hallaba de almendra,
a juzgar por la mímica fehaciente
de toda su persona,
cuando llevaba el dedo temerario
hasta la lengua cínica y glotona.
Un día en que el payaso dió a probar
su rastro de amazona al ejemplar
señor Gobernador de aquel Estado,
comprendí lo que es
Poder Ejecutivo aturrullado.*

¡Oh remoto payaso: en el umbral
de mi infancia derecha
y de mis virtudes recién nacidas
yo no pude tener una sospecha
de amazonas y almendras prohibidas!

Estas almendras raudas
hechas de terciopelos y de trinos
que no nos dejan ni tocar sus caudas . . .
Los adioses baldíos
a las augustas Evas redivivas
que niegan la migaja, pero inculcan
en nuestra sangre briosa, una patética
mendicidad de almendras fugitivas . . .

Había una menuda cuadrumana
de enagüilla de céfiro
que, cabalgando por el redondel
con azoros de humana,
vencía los obstáculos de inquina
y los aviesos aros de papel.

Y cuando a la erudita
cavilación de Darwin
se le montaba la enagüilla obscena,
la avisada monita
se quedaba serena,
como ante un espejismo,
despreocupada lastimosamente
de su desmantelado transformismo.

La niña Bell cantaba:
«Soy la paloma errante»;
y de botellas y de cascabeles
surtía un abundante
surtidor de sonidos
acuáticos, para la sed acuática
de papás aburridos,

nodriza inverecunda
y prole gemebunda.

¡Oh memoria del circo! Tú te vas
adelgazando en el frecuente síncope
del latón sin compás;
en la apesadumbrada
somnolencia del gas;
en el talento necio
del domador aquel que molestaba
a los leones hartos, y en el viudo
oscilar del trapecio . . .

9. **. . . por querer imponer a Bonillas.**

El ingeniero *Ignacio M. Bonillas* fué embajador de México en Wáshington durante la dictadura de Venustiano Carranza y su candidato presidencial debido a que era un civil. Cuando Carranza intentó nombrar a Bonillas como su sucesor en 1920, hubo una protesta inmediata de parte del ejército. La campaña de protesta fué dirigida por varios militares, principalmente por el general Obregón, quien sucedió a Carranza en el gobierno después de su asesinato, el 23 de mayo de 1920.

10. **Cuando el Amor Muere; Cuando el Amor Reflorece.**

Estas canciones tan populares en aquel período fueron compuestas por Rudolf Friml (1879–), compositor bohemio nacido en Prague, parte de Austria por entonces. Su reputación se funda en tales operetas como: *La Luciérnaga* (1912) y *Rosa María* (1924). *Cuando el Amor Muere* se conoce en nuestro país por el nombre de *L'Amour, Toujours l'Amour*.

11. **. . . como un rayo de sol por una umbría.»**

El poema intitulado *Tu palabra más fútil* aparece en el volumen *Zozobra* de Ramón López Velarde. Nótense los versos completos que siguen:

Magdalena, conozco que te amo
en que la más trivial de tus acciones
es pasto para mí, como la miga
es la felicidad de los gorriones.

*Tu palabra más fútil
es combustible de mi fantasía,
y pasa por mi espíritu feudal,
como un rayo de sol por una umbría.
Una mañana (en que la misma prosa
del vivir se tornaba melodiosa)
te daban un periódico en el tren
y rehusaste, diciendo con voz cálida:
«¿Para qué me das esto?» Y estas cinco
breves palabras de tu boca pálida
fueron como un joyel que todo el día
en mi capilla estuvo manifiesto;
y en la noche, sonaba tu pregunta:
«¿Para qué me das esto?» . . . .
Y la tarde fugaz que en el teatro
repasaban tus dedos, Magdalena,
la dorada melena
de un chiquillo . . . Y el prócer ademán
con que diste limosna a aquel anciano . . .
Y tus dientes que van
en sonrisa ondulante, cual resúmenes
del sol, encandilando la insegura
pupila de los viejos y los párvulos . . .
Tus dientes, en que están la travesura
y el relámpago de un pueril espejo
que aprisiona del sol una saeta
y clava el rayo férvido en los ojos
del infante embobado
que en su cuna vegeta . . .
También yo, Magdalena, me deslumbro
en tu sonrisa férvida; y mis horas
van a tu zaga, hambrientas y canoras,
como va tras el ama, por la holgura
de un patio regional, el cortesano
séquito de palomas que codicia
la gota de agua azul y el rubio grano.*

12. . . . **ni cuando te decía yo Juan Papeles.**

El autor explica que *Juan Papeles* fué el sobrenombre que

le puso una criada vieja debido a que siempre acostumbraba
a llevar libros y papeles cuando era pequeño. Por eso se deduce
que el apodo de *Juan Papeles* se refiere al muchacho estudioso
que está siempre devorando libros.
13. . . . han hecho presidente de la República a Adolfo de la
Huerta.

Después del asesinato de Carranza el 23 de mayo de 1920,
el Congreso se reunió el día 25 con el motivo de nombrar un
presidente provisional. De la Huerta fué elegido y el primero
de junio fué inaugurado. Muy corta era su administración
porque el general Alvaro Obregón tomó el poder ejecutivo el
primero de diciembre del mismo año.
14. . . . desde la toma de Juárez.

Ciudad Juárez fué capturada por el general Pascual Orozco
el 9 de mayo de 1911 poco antes de la elección de Francisco
I. Madero como presidente.
15. Teresa Raquin.

La novela *Thérèse Raquin* (1867), escrita por Emile Zola
(1840–1902), jefe de la escuela naturalista en Francia, refleja
su gran poder analítico de la naturaleza humana. Le dió
rápida notoriedad su vasta serie de novelas *Los Rougon-Macquart*, familia cuyos tipos estudió, sosteniendo una tesis
materialista sobre la herencia. Esta serie se compone de veinte
volúmenes, tratando mayormente del aspecto turbio y mórbido de la vida, con sus vicios y crímenes, presentando con
precisión y vívidamente algunas esferas de la sociedad parisiense. Zola fué el más ardiente campeón de la revisión del
proceso Dreyfus, con su famoso artículo *Yo Acuso*, que le
acarreó una condena de un año en prisión. Huyó del país,
pero después de la absolución de Dreyfus, regresó a París en
1899, donde murió tres años más tarde.
16. . . . el pabellón de primera en la Castañeda.

La Castañeda es un asilo para locos, dependiente del Ministerio de Salud Pública o de la Municipalidad. Está ubicado en
Mixcoac, que se encuentra actualmente en el Distrito Federal,
y proporciona atención médica gratis para pacientes de escasos recursos. En el año 1920 esta institución contaba con
un pabellón de primera para pacientes de la clase acomodada,
pues en esa fecha no existían clínicas mentales particulares.

EJERCICIOS

[I]

A. *Escríbanse sinónimos de las palabras siguientes:*

1. junto a
2. habitación
3. mutis
4. acaso
5. cara
6. pelear
7. mobiliario
8. conseguir
9. justamente
10. privar

B. *Escríbanse antónimos de las palabras siguientes:*

1. fuera de
2. derecha
3. vacíos
4. oscuro
5. redondo
6. guapo
7. lento
8. niñez
9. recordar
10. joven

C. *Escríbanse oraciones originales empleando las expresiones siguientes de tal modo que se revele el significado de la expresión:*

1. dar sobre
2. jugar con
3. habla y habla
4. darse cuenta de
5. en todo caso
6. encogerse de hombros
7. echarse a perder
8. en contra mía
9. encargarse de
10. como a

D. *Escríbase el modo presente de indicativo de los verbos que están escritos en bastardillas:*

1. Nosotros *estar* como en los días de la revolución. 2. El tripié de metal *sostener* una plancha de mármol. 3. *Haber* un librero despoblado en la pieza. 4. Por el balcón se

distinguir la iglesia. 5. *Ser* las ocho de la noche del 21 de mayo. 6. Marta *sentarse* junto a la mesa. 7. Yo no *saber* cómo *ir* a trabajar ellos sin luz. 8. Ella *seguir* cosiendo mientras la criada *hablar*. 9. Nunca *poder* yo entender su falta de curiosidad. 10. ¿Me *encontrar* usted mal vestido? 11. En mis recuerdos yo le *ver* siempre contigo. 12. Al fin él *darse* cuenta de que usted no me *querer*. 13. ¿Por qué no *merendar* Daniel con su mamá? 14. Yo no *conocer* las obras de Alberto Durero. 15. La rinconera *jugar* con el resto de los muebles.

E. *Sustitúyanse las palabras escritas en bastardillas con los debidos pronombres personales, haciéndose los otros cambios que sean necesarios:*

1. Los niños necesitan *aire*. 2. Yo respeto *la pureza y la inocencia*. 3. Todas las personas usarán *la puerta de la izquierda*. 4. Es tiempo de que Daniel vaya a hacer *su preparatoria*. 5. No voy a tener *a Daniel* encerrado aquí. 6. Él tira *el paquete* sobre el sofá. 7. Voy a preparar *la cena* para don Guillermo. 8. El viejo nunca perdonó *a los maderistas puros*. 9. Tú no necesitas recordarme *el motivo*. 10. Yo di *permiso a Daniel* para salir.

F. *Contéstense a las preguntas siguientes con oraciones completas:*

1. Según Jacinta, ¿cómo era Venustiano Carranza cuando le conoció? 2. ¿Qué hora es cuando comienza la acción del primer acto? 3. ¿Por qué no vuelve la luz, según la criada? 4. ¿Qué hace Marta mientras habla Jacinta? 5. ¿Cómo está iluminada la escena? ¿Por qué? 6. ¿Qué hay en el paquete que tira Guillermo sobre el sofá? 7. Según él, ¿qué significa la muerte de Carranza para ellos? 8. ¿Cómo es la enseñanza en Durango? 9. ¿Por qué cree Guillermo que está ahogándose en la provincia? 10. ¿Qué se ven siempre por los balcones? 11. ¿Cuánto tiempo hace que no va Marta a México? 12. ¿Con qué motivo fué? 13. ¿En qué aspectos será México un ambiente mejor para todos ellos? 14. ¿Cómo ve Marta a su hijo? 15. ¿Con quién anda nuevamente Daniel? 16. ¿Por qué no le gusta a Guillermo el muchacho Luis? 17. ¿De qué siempre hablaba antes? 18. Según él, ¿de qué

es incapaz su esposa? 19. ¿Por qué viven los dos una vida tan oscura? 20. ¿Por qué no quiere merendar Guillermo?

G. *Proyectos escritos u orales:*

1. Al levantarse el telón, ¿cómo es la escena? *Hágase un dibujo mostrando la sala con sus puertas, sus muebles, etc.*

[II]

A. *Escríbanse sinónimos de las palabras siguientes:*

1. rogar
2. seguir
3. cansancio
4. permanecer
5. alterar
6. menudo
7. platicar
8. de nuevo
9. paz
10. de veras

B. *Escríbanse antónimos de las palabras siguientes:*

1. delgado
2. amistad
3. triste
4. antipático
5. cariño
6. distinto
7. mejor
8. reciente
9. siempre
10. largo

C. *Escríbanse oraciones originales empleando las expresiones siguientes de tal modo que se revele el significado de la expresión:*

1. dejar caer
2. tener razón
3. decir que sí
4. poner su cubierto
5. hacer caso
6. de mala gana
7. por lo menos
8. cumplir años
9. por favor
10. ir a montar

D. *Escríbanse los imperativos de los verbos que están escritos en bastardillas:*

1. No *comer* Ud. golosinas en la calle. 2. *Evitar* Ud. la amistad de ese chico. 3. No *hacerse* Uds. hipócritas. 4. No

decir Ud. tonterías. 5. *Mirar* Uds. lo que he recibido. 6. No *generalizar* Ud. tanto. 7. *Ser* Ud. discreto, por favor. 8. *Platicar* Ud. con la señora. 9. *Enseñar* Ud. esos poemas al muchacho. 10. *Dedicar* Ud. algún tiempo a los proyectos. 11. *Fijarse* Uds. en aquel edificio. 12. *Llegar* Ud. a ser un gran arquitecto. 13. *Saber* Ud. cómo son las mujeres. 14. *Conocer* Uds. la capital. 15. *Ir* Uds. a la escuela temprano.

E. *Escríbase la preposición* por *o* para *en las oraciones siguientes:*

1. El joven entró _____ la puerta izquierda.
2. Tengo un pequeño regalo _____ usted.
3. Se lo aconsejo _____ su bien.
4. No necesitas besarme _____ eso.
5. No hace esfuerzo alguno _____ parecer un hombre de mundo.
6. Gracias _____ el cariño que me demuestras.
7. Estos versos parecen hechos _____ usted.
8. El gobierno de México es _____ militares.
9. _____ cierto la muerte de Carranza nos beneficia.
10. Voy a leer los poemas escritos _____ López Velarde.
11. _____ la ventana se ve la iglesia vecina.
12. Aquí en Durango es imposible realizarlo _____ ahora.
13. Mañana vamos a salir _____ México.
14. No sé por qué tengo tanta repugnancia _____ la capital.
15. Hay que hacer algo _____ el gobierno.

F. *Contéstense a las preguntas siguientes con oraciones completas:*

1. Descríbase a Daniel. 2. ¿Dónde deja su gorra y sus libros al entrar? 3. Según Jacinta, ¿por qué no tiene hambre él? 4. ¿En qué insiste Daniel que Jacinta haga? 5. ¿Cuántos años cumple él mañana? 6. ¿Por qué cree Guillermo que Daniel debe evitar la amistad de Luis? 7. ¿Ve Marta algo de malo en que su hijo tenga amigos mayores que él? 8. ¿Qué le regala Guillermo a su hijo? 9. ¿Cómo recibe el regalo? 10. Descríbase a Mauricio. 11. ¿Por qué no quiere pasar al comedor a tomar algo? 12. ¿Por qué está cansada de contenerse Marta? 13. ¿Cómo pasa Mauricio las noches? 14. ¿Qué libros nuevos ha recibido? 15. ¿Qué le regala Mauricio

a Daniel? 16. ¿Cómo desenvuelve Daniel el paquete? 17. ¿Qué buena noticia tiene Mauricio para él? 18. ¿Cómo se llama el libro de poemas que tiene Mauricio? 19. ¿Cómo interpreta usted los versos de López Velarde? 20. ¿Qué opina Mauricio de Venustiano Carranza?

21. Si Daniel va a montar mañana, ¿qué no va a necesitar? 22. ¿Para quiénes es el gobierno de México, según Mauricio? 23. ¿A quién sigue Guillermo en sus ideales del gobierno? 24. ¿De qué no quiere hablar más Marta, según su marido? 25. ¿En qué aspectos se mejoraría Guillermo en vivir en México? 26. Según él, ¿dónde se ganan las revoluciones? 27. En su opinión, ¿cómo es la vida provinciana? 28. ¿Cómo es su sueño de vivir en la capital? 29. Para contribuir al progreso de México, ¿qué tienen que hacer muchos mexicanos? 30. ¿Confía absolutamente Guillermo en la amistad de Mauricio?

[III]

A. Escríbanse sinónimos de las palabras siguientes:

1. disculpar
2. conservar
3. callado
4. flaco
5. en seguida
6. resuelto
7. marido
8. de pronto
9. continuar
10. cansado

B. Escríbanse antónimos de las palabras siguientes:

1. nadie
2. acostarse
3. flaco
4. suelo
5. fracasar
6. infierno
7. perder
8. felicidad
9. lejano
10. fuerza

C. Escríbanse oraciones originales empleando las expresiones siguientes de tal modo que se revele el significado de la expresión:

1. tener sueño
2. estar seguro de
3. montar a caballo
4. darse prisa
5. ser preciso
6. estar acostumbrado a
7. darse de balazos con
8. hacer una tempestad en un vaso de agua
9. tener que
10. de frente

D. Corríjanse las oraciones siguientes que son falsas:

1. Daniel tiene que levantarse temprano para ir a la escuela. 2. Mauricio le ofrece a Daniel la ropa de su hijo para ir a montar. 3. Guillermo necesita trabajar en algunos mapas esta noche. 4. Pedro viene a recoger a Daniel a las ocho de la mañana. 5. La única vez que Mauricio la oyó tocar fué en el santo de Daniel. 6. El libro de poemas está dedicado a Marta. 7. Las familias de Mauricio y López Velarde tenían amigos comunes en Durango. 8. Daniel deja el libro sobre sus rodillas y se queda dormido casi en seguida. 9. Guillermo quiere que Daniel estudie las leyes. 10. Si Marta se divorciara, Mauricio tendría la guerra con sus padres.

E. Escríbase el tiempo imperfecto o pretérito de los verbos que están escritos en bastardillas, explicando las razones de su uso:

1. ¿Por qué *hacer* ellos tanto misterio?
2. Mamá no *querer* que él le diera la razón.
3. Daniel *saber* que ésa no *ser* su intención.
4. Yo *estar* seguro de que *estar* haciendo ustedes una tempestad en un vaso de agua.
5. Pedro *venir* a las siete para recoger al chico.
6. Él *sentarse* cerca de la lámpara y *ponerse* a leer el libro.
7. La única vez que él la *oír* tocar *ser* hace dos años.
8. Guillermo *decir* que su actitud *ser* vieja.
9. Yo no *querer* vivir en México con él.
10. Él *tener* que copiar un párrafo del libro.
11. Cuando yo *ser* chico, me *gustar* sentarme en el suelo.
12. Él *conocer* a López Velarde cuando *estar* en la Preparatoria.
13. ¿Cómo *llamarse* el vals que siempre *tocar* usted?

14. Ellos *estar* acostumbrados a merendar temprano.
15. Daniel *dormirse* casi en seguida.
16. *Ser* las dos y media cuando yo *llegar* a casa.
17. Lo que me *detener ser* la falta de dinero.
18. Ella le *pedir* un poco más de paciencia.
19. La gente *seguir* caminando mientras yo *estar* inmóvil.
20. Al fin ella *decidirse* a hablar y le *conducir* hacia el sofá.

F. *Contéstense a las preguntas siguientes con oraciones completas:*

1. ¿Por qué no quiere acostarse Daniel? 2. ¿Por qué tiene que levantarse temprano? 3. ¿Cómo humilla Guillermo a su hijo? 4. Según el padre, ¿cómo vive y trabaja Daniel? 5. ¿Por qué le parece a Guillermo atrevido que él monte a caballo? 6. ¿Cómo soluciona Mauricio el problema del traje de montar? 7. ¿Qué tiene que hacer Daniel antes de acostarse? 8. ¿Qué tiene que hacer su padre? 9. ¿Por qué quiere Guillermo que Mauricio se quede? 10. ¿A qué hora viene Pedro para recoger a Daniel? 11. ¿Por qué no quiere tocar el piano Marta? 12. ¿Cuándo la oyó tocar Mauricio? 13. ¿Qué necesita que Marta le diga? 14. ¿Cuáles son las razones que tiene Marta para no ir a México? 15. ¿Cuántos años hace que se casaron Marta y Guillermo? 16. ¿Por qué no puede estudiar Daniel en su cuarto? 17. ¿Con qué motivo trae Mauricio el libro de poemas? 18. ¿A quién está dedicado el libro? 19. ¿Cuándo conoció Mauricio al autor? 20. ¿Por qué no le interesa a Mauricio el autógrafo?

21. ¿Qué pieza se acuerda Daniel que siempre tocaba su mamá? 22. ¿Cómo interpreta usted los versos de López Velarde? 23. ¿Qué está acostumbrado a hacer Mauricio? 24. Al regresar Daniel, ¿cómo se queda casi en seguida? 25. ¿Saben Mauricio y Marta que está en escena? 26. ¿Qué quiere Guillermo que su hijo estudie? 27. ¿Qué idea repugnante nunca ha aceptado Mauricio? 28. ¿Qué palabra pide Marta que él no diga jamás? 29. Si Marta se va con él, ¿con quiénes siempre tendrá la guerra Mauricio? 30. Según ella, ¿qué ilusión quiere preservar su esposo? 31. ¿Cómo siente Marta respecto a su hijo? 32. ¿Por cuántos años ha durado la amistad íntima entre Mauricio y Marta? 33. ¿Cómo le

parece a Mauricio su propia vida? 34. Al levantarse Daniel, ¿cómo camina? 35. ¿Qué toma de la banqueta del piano? 36. ¿Adónde va? 37. ¿Por qué no debe despertarle Marta? 38. ¿Obedece Daniel las órdenes de su mamá? 39. ¿En qué lugar se tiende él? 40. ¿Por qué se abraza ella convulsivamente de Mauricio?

G. *Proyectos escritos u orales:*

1. ¿Qué opina usted de la habilidad del autor al presentar en el primer acto: (1) el ambiente, (2) a los personajes y (3) el problema principal?

[IV]

A. *Escríbanse sinónimos de las palabras siguientes:*

1. estival
2. apagar
3. quizás
4. cólera
5. doctor
6. ocultar
7. tonto
8. hacer la barba
9. nuevamente
10. tranquilizar

B. *Escríbanse antónimos de las palabras siguientes:*

1. encender
2. afuera
3. aproximarse
4. cerca de
5. levantarse
6. enemigo
7. menos
8. viejo
9. nada
10. verdad

C. *Escríbanse oraciones originales empleando las expresiones siguientes de tal modo que se revele el significado de la expresión:*

1. estar de pie
2. darse un aire
3. de par en par
4. por todas partes
5. soñar con
6. convencerse de
7. en mangas de camisa
8. a fuerza
9. tener ganas de
10. hacer daño

D. *Escríbase el tiempo futuro de los verbos que están escritos en bastardillas:*

1. *Ser* las nueve de la calurosa noche estival.
2. Yo le *decir* que eso no es la verdad.
3. Ella *reírse* de mí también.
4. La noche *hacer* aparecer más visible la palidez de los tapices de los muebles.
5. Tampoco *querer* él merendar temprano.
6. ¿No *tener* usted ganas de ir conmigo?
7. Me *gustar* estar cerca de ella.
8. ¿A qué hora *levantarse* nosotros mañana?
9. Yo *saber* mi cuento.
10. ¿Te *costar* mucho trabajo ser cariñoso con tu padre?

E. *Escríbase el modo subjuntivo de los verbos que están escritos en bastardillas, explicando las razones de su uso:*

1. Quiero que usted *apagar* la lámpara de pie. 2. Él pide que ella no *estar* tan desesperada. 3. Puede ser que ellos *llamar* a un médico. 4. Dudo que él *encontrar* otra solución. 5. Ruego que ustedes no *reírse* de mí. 6. Le digo que usted *sentarse* en el sofá. 7. Temo que esta temperatura de verano *ser* muy cambiante. 8. Usted me persigue para que *obedecer* yo sus órdenes. 9. Espero que usted no *traer* calificaciones tan malas. 10. No creo que nadie le *tener* mala voluntad. 11. Quiero que ustedes *ser* sinceros conmigo. 12. Pido que usted no *mentir*. 13. Aunque me *costar* mucho trabajo, voy a hacerlo. 14. Es lástima que ustedes no *comprender* esas cosas. 15. Deseo que usted *tranquilizarse* en seguida.

F. *Contéstense a las preguntas siguientes con oraciones completas:*

1. ¿Cuánto tiempo pasa entre el primer acto y el segundo? 2. ¿Qué hora es al levantarse el telón? 3. ¿Dónde se encuentra Marta al principio de la escena? 4. ¿Con quién habla? 5. ¿Qué le jura a Mauricio? 6. ¿Qué hace ella al dejar el balcón? 7. ¿En qué manera parece diferente Daniel

que en el primer acto? 8. ¿Por qué insiste Jacinta que se ponga Daniel su saco? 9. Según ella, ¿cómo era Daniel antes? 10. ¿Por qué se pone violento Daniel? 11. ¿Qué va a decir a su mamá? 12. ¿Cómo abre el balcón? 13. ¿Por qué se ríe Jacinta de él? 14. ¿Por qué no va a merendar? 15. ¿A quién debe llamar Marta, según la criada? 16. ¿Por qué desea Daniel que el balcón esté abierto? 17. ¿Qué dice Marta cuando él hace ademán de acercarse? 18. ¿Qué no puede ocultar Marta al cubrirle la frente? 19. ¿Con quién soñó anoche Daniel? 20. ¿De qué hablaban en el sueño?

21. ¿Por qué dice *padre* Daniel en vez de *papá*? 22. ¿Tiene ganas de ir a México? 23. ¿Cómo se siente al montar a caballo? 24. ¿Es buen jinete Mauricio, según el chico? 25. ¿Cómo se llama el perfume que usa Marta? 26. ¿Qué nombre va a ponerle al perfume Daniel? 27. Según él, ¿cómo sabe Marta que su papá viene? 28. ¿Cómo está Guillermo al entrar de la calle? 29. ¿Por qué no debe estar en mangas de camisa Daniel? 30. ¿Cómo son sus últimas calificaciones? 31. Según Daniel, ¿quiénes tienen la culpa? 32. ¿Por qué cree Guillermo que su hijo está enfermo? 33. ¿Por qué tiene vergüenza Daniel? 34. ¿Dónde ha aprendido las palabras que no son suyas? 35. ¿Qué le procurará Guillermo si está enfermo su hijo? 36. ¿Qué va a decirle después, según Daniel? 37. ¿Cómo le explica Guillermo el gran cambio que ve? 38. ¿Cómo eran los dos el invierno pasado? 39. ¿Qué siente el padre cuando miente su hijo? 40. ¿Ha dado permiso Marta a Daniel para seguir frecuentando a Luis?

[V]

A. Escríbanse sinónimos de las palabras siguientes:

1. seguro
2. agradar
3. porvenir
4. contestar
5. turbado
6. acabar
7. obrar
8. pieza
9. sitio
10. recelo

B. *Escríbanse antónimos de las palabras siguientes:*

1. rechazar
2. temprano
3. terminar
4. mínimo
5. bajo
6. cobarde
7. volver
8. simpático
9. fácil
10. alegría

C. *Escríbanse oraciones originales empleando las expresiones siguientes de tal modo que se revele el significado de la expresión:*

1. tratar de
2. perder los estribos
3. equivocarse
4. contar con
5. por lo menos
6. a pesar de todo
7. echar una ojeada
8. para con
9. en guardia
10. compartir con

D. *Sustitúyanse las palabras escritas en bastardillas con los debidos pronombres personales en las siguientes oraciones, y después escríbanselas en el imperativo afirmativo y negativo:*

1. **Dar** Ud. *permiso a Daniel.*
2. **Poner** Ud. *el telegrama al Presidente.*
3. **Ver** Ud. *a Luis* de nuevo.
4. **Decir** Uds. *la verdad a su hijo.*
5. **Enviar** Ud. *un telegrama al Presidente.*
6. **Tirar** Ud. *su dinero* como un imbécil.
7. **Despertar** Ud. *a Daniel temprano.*
8. **Leer** Ud. *los poemas al joven.*
9. **Comunicar** Ud. *su contestación al secretario.*
10. **Dejar** Ud. *a Guillermo* ir entonces.

E. *Escríbase el tiempo condicional de los verbos que están escritos en bastardillas:*

1. Nosotros *quedarse* aquí si fuera posible. 2. Tu actitud *ser* ridícula y odiosa. 3. Eso es lo que lo *hacer* más peligroso. 4. No *haber* ninguna tintura más difícil de lavar. 5. Yo le *poner* un telegrama si pudiera. 6. Si él oyera esto, ¿qué *decir*? 7. Usted no *tener* ninguna idea de lo que es no querer

a alguien. 8. Ella no *querer* a Daniel tampoco. 9. Le *gustar* a Guillermo colocarse cerca del Presidente. 10. Yo *estar* dispuesta a dejarte hacerlo.

F. *Contéstense a las preguntas siguientes con oraciones completas:*

1. Según Marta, ¿cómo es Luis? 2. ¿Qué quiere Guillermo que tenga Daniel? 3. ¿Sabe Guillermo lo que es sufrir sin amigos? 4. ¿Cómo es el remedio que está próximo? 5. ¿Va a hacer Daniel lo que su padre le indique? 6. ¿Cómo va a sacrificar Guillermo su situación segura en Durango? 7. ¿Por qué comienza a perder los estribos? 8. ¿Qué noticia ha recibido él? 9. ¿A quién ha hecho presidente de la República el Congreso? 10. ¿No tiene interés para Marta la noticia? 11. Según ella, ¿cómo es Adolfo de la Huerta? 12. ¿Qué le pide Guillermo en el telegrama? 13. ¿Cómo va a ser la situación de Daniel si contesta afirmativamente el Presidente? 14. ¿Cómo critica amargamente Marta a su esposo? 15. ¿Cómo sale del cuarto Daniel? 16. Según Guillermo, ¿a quién ha tenido cuidado de no nombrar Marta? 17. ¿Qué no puede perdonar Guillermo mientras viva? 18. ¿Qué pruebas tiene de cómo ha sido Marta durante dieciséis años? 19. ¿Por qué no tiene hermanos Daniel, según Guillermo? 20. ¿Dónde hay gentes enteradas que pueden atestiguar?

21. Según Marta, ¿cómo es no querer a alguien? 22. ¿Qué ha observado Guillermo desde que nació Daniel? 23. ¿Por qué no echa a Marta de la casa por la salud moral de su hijo? 24. ¿Qué apuntalan las dos sombras de que habla? 25. ¿Por qué no le dará nunca un divorcio a Marta? 26. ¿Por qué ha soportado Guillermo tantas cosas tan repugnantes? 27. Según Marta, ¿por qué razón le niega el divorcio? 28. ¿Cuándo sentirá piedad por ella Guillermo? 29. ¿Cómo reaparece él cuando se oye cerrarse el zaguán? 30. ¿Le interesa a Marta el telegrama? 31. ¿Por qué quiere Guillermo que vea el telegrama su hijo? 32. ¿De quién es el telegrama? 33. ¿Por qué cuenta De la Huerta con Guillermo? 34. Según Guillermo, ¿por qué tiene que ir Marta

a México? 35. ¿Adónde va Guillermo al salir por la puerta izquierda?

[VI]

A. Escríbanse sinónimos de las palabras siguientes:

1. regresar
2. proyecto
3. elegir
4. vacilación
5. siniestro
6. apoyo
7. dejar
8. serenarse
9. próximo
10. sólo

B. Escríbanse antónimos de las palabras siguientes:

1. cerrar
2. sucio
3. detrás de
4. infelicidad
5. amargura
6. paz
7. regresar
8. caliente
9. fuerte
10. encontrar

C. Escríbanse oraciones originales empleando las expresiones siguientes de tal modo que se revele el significado de la expresión:

1. todos los días
2. de veras
3. mañana mismo
4. en voz alta
5. en cuanto a
6. mirar de hito en hito
7. día tras día
8. al cabo de
9. por ahí
10. a media voz

D. Escríbase el tiempo imperfecto o pretérito de los verbos que están escritos en bastardillas, explicando las razones de su uso:

1. Él me *decir* algo en voz baja. 2. Algo *atraer* su atención al balcón. 3. Marta *cerrar* la ventana y *volver* al centro de la pieza. 4. Mauricio siempre *querer* intervenir en su vida privada. 5. No *ser* posible ser feliz. 6. Marta, ¿por qué *hacer* usted eso? 7. Él me *dar* el estímulo que *necesitar*. 8. *Ser* usted quien *tener* que comprobar. 9. La criada le *traer* el

block de papel de cartas. 10. Cuando *levantarse* ella, él *leer* el periódico. 11. Yo *acercar* una silla a la mesa y *comenzar* a escribir. 12. Él *situarse* detrás de su padre. 13. El telón *caer* después de la detonación. 14. *Ser* las nueve de la noche cuando él *ir* al telégrafo. 15. ¿*Venir* él a buscarlo esta mañana?

E. *Sustitúyanse las palabras escritas en bastardillas con los pronombres posesivos correspondientes:*

1. Podré realizar *mis proyectos* ahora. 2. Él va a preparar *su memorándum* esta noche. 3. Me siento capaz de matar *a tu marido*, Marta. 4. Dime qué va a ser *nuestra vida*. 5. Él levanta *su arma* a la altura de la cabeza. 6. Le agradezco *su interés*, pero de todas maneras saldremos mañana. 7. Lo único limpio que conozco es el amor de *mi hijo*. 8. *La silueta de Mauricio* desaparece del balcón. 9. Contempla el teclado, sobre el cual coloca al fin *sus manos*. 10. ¿No crees que es ya bastante la amargura de no tener con quién compartir *sus planes?*

F. *Contéstense a las preguntas siguientes con oraciones completas:*

1. ¿Cómo es la resonancia cuando golpea Marta el teclado del piano? 2. ¿Por qué es imprudente la apariencia de Mauricio? 3. ¿Por qué ha venido? 4. ¿Por qué quiere Marta que él se vaya? 5. ¿De qué se siente Mauricio capaz de hacer? 6. ¿Cuánto tiempo pide Marta antes de darle su respuesta? 7. Al oír los pasos de su marido, ¿por qué quiere que Mauricio no se vaya? 8. ¿Por qué le alegra a Guillermo ver a Mauricio? 9. ¿Qué va a preparar Guillermo esta noche? 10. Según él, ¿cómo es uno que ha estado casado muchos años? 11. ¿Qué opina Mauricio de la política? 12. En cuanto a lo limpio en la política, ¿qué dice Guillermo? 13. ¿Puede contar Guillermo con Mauricio? 14. ¿Cómo toma Mauricio la mano de Guillermo al despedirse? 15. Descríbase a Marta al reaparecer. 16. ¿Por qué la mira Guillermo de hito en hito? 17. ¿Para quién quiere Marta que su esposo haga planes? 18. Según él, ¿quién le dará estímulo y compañía?

19. ¿Qué tendrá que comprobar Marta día tras día? 20. ¿Por qué pierde Guillermo los estribos?

21. ¿Qué hace al acercarse a ella? 22. ¿Por qué la deja ir? 23. Al pasear de un extremo a otro, ¿qué trata de hacer? 24. ¿Lee el periódico que toma de la mesa? 25. ¿Qué enciende? 26. ¿A quién llama? 27. ¿Qué hace la sirvienta al entrar? 28. ¿Por qué está un poco avergonzado Guillermo? 29. ¿Qué pide que Jacinta le traiga? 30. ¿Cómo bebe Guillermo la primera copa de coñac? 31. ¿Qué saca del bolsillo? 32. ¿Cuántas copas de coñac toma? 33. Al entrar Daniel, ¿cómo está vestido? 34. ¿Cómo camina? 35. ¿Qué lleva en la mano derecha? 36. ¿Qué hace Guillermo al llegar Daniel detrás de su silla? 37. ¿Por qué hunde Daniel su puño izquierdo en la boca? 38. ¿Por qué no se ha dado cuenta de nada Guillermo? 39. ¿Qué dice sin volverse? 40. ¿Qué se oye fuera de la escena?

G. *Proyectos escritos u orales:*

1. ¿Qué le parece a usted la habilidad del dramaturgo al presentar en el segundo acto: (1) a más personajes que sean necesarios para el desarrollo de la intriga, y (2) más situaciones para el enredo del problema principal?

[VII]

A. *Escríbanse sinónimos de las palabras siguientes:*

1. mentón
2. pésame
3. suceder
4. locuaz
5. sin duda
6. carro
7. suplicar
8. inteligente
9. en efecto
10. rezar

B. *Escríbanse oraciones originales empleando las expresiones siguientes de tal modo que se revele el significado de la expresión:*

1. hay que
2. hacer favor de
3. en fin
4. rezar el rosario

    5. tener años
    6. portarse
    7. a menudo
    8. tener la culpa de
    9. compañero de banca
  10. en cambio
  11. una sola vez
  12. acompañar de
  13. más bien
  14. de todas maneras
  15. hacer burla
  16. prestar atención
  17. relacionado con
  18. dar mi palabra
  19. permanecer de pie
  20. sin embargo

C. *Complétese el grupo siguiente de palabras:*

	Verbos	*Nombres*	*Adjetivos*
1.	variar	————	————
2.	————	enfado	————
3.	————	————	limpio
4.	impacientar	————	————
5.	————	interés	————
6.	————	————	discutible
7.	culpar	————	————
8.	————	súplica	————
9.	————	————	doloroso
10.	preferir	————	————

D. *Escríbase el tiempo presente perfecto de los verbos que están escritos en bastardillas:*

1. Algunos dolientes *despedirse* de la familia. 2. Daniel siempre *ser* un muchacho muy inteligente. 3. Guillermo *sentarse* cerca de él. 4. Su voz de gris *volverse* oscura. 5. Sus compañeros le *hacer* burla por algo. 6. Yo *ponerse* en el lugar de usted. 7. Usted no le *traer* a casa. 8. El chico está a punto de llorar porque no sabe lo que usted *decir*. 9. Él *abrir* el estuche de grafios con mucha excitación. 10. Nosotros no *ver* el último regalo de Daniel.

E. *Contéstense a las preguntas siguientes con oraciones completas:*

1. ¿Qué cambios se notan en el escenario del tercer acto?
2. ¿Quiénes están despidiéndose cuando se levanta el telón?

3. ¿Por qué están cubiertos los cuadros y el espejo? 4. Según el Doctor, ¿cuándo descubrimos nuestras fuerzas? 5. ¿Por qué no está Marta en la sala? 6. ¿Por qué vuelven esta noche las señoras enlutadas? 7. ¿Quiere Guillermo que vuelvan? 8. ¿Por qué mira al vacío sin soltar la mano del chico? 9. ¿Qué pide que Jacinta haga? ¿Por qué? 10. ¿Por qué no ha asistido al sepelio el Profesor? 11. Según él, ¿qué clase de estudiante era Daniel? 12. ¿Cuándo perdía el equilibrio? 13. ¿Era un muchacho que callaba mucho? 14. ¿Son todos los niños así, a esa edad? 15. ¿Por qué le hicieron burla una vez sus compañeros? 16. ¿Qué hizo para probar que tenía razón? 17. ¿Por qué tuvo que reprenderle el Profesor? 18. ¿Qué dijo Daniel cuando terminó el Profesor? 19. ¿Quién está afuera que quiere ver a Guillermo? 20. ¿Por qué cree que es extraño que Felipe era un amigo inseparable de su hijo?

21. Cuando sale el Profesor, ¿cómo permanece Guillermo? 22. Descríbase a Felipe Suárez. 23. ¿Quiénes le hablan de «usted»? 24. ¿Qué tono adopta insensiblemente Guillermo? 25. ¿Sobre qué asuntos discutían Daniel y Felipe? 26. ¿Por qué se detiene y palidece Felipe? 27. ¿De qué tema siempre hablaba Daniel? 28. ¿Qué ocurrió en la calle el lunes pasado? 29. ¿Por qué no vino Felipe al velorio y al entierro? 30. ¿Por qué no le trajo nunca a casa Daniel? 31. ¿Qué le contó Daniel hace muy poco? 32. ¿Qué no hacía Guillermo cuando tenía la edad de su hijo? 33. ¿Qué le regala a Felipe? 34. ¿Qué recordará el muchacho cada vez que lo mire? 35. ¿Cómo se despide de Guillermo?

[VIII]

A. Escríbanse sinónimos de las palabras siguientes:

1. panteón
2. extraño
3. afecto
4. acceso
5. toma
6. resuelto
7. tieso
8. chico
9. rencor
10. preciso

B. *Escríbanse oraciones originales empleando las expresiones siguientes de tal modo que se revele el significado de la expresión:*

1. dar las gracias
2. vestido de negro
3. casarse con
4. a pesar mío
5. en seguida
6. enamorarse de
7. aquí tiene usted
8. a raíz de
9. de otro modo
10. querer decir

C. *Vuélvanse a escribir las oraciones falsas en el ejercicio siguiente:*

1. Mauricio está vestido de blanco cuando entra. 2. Jacinta ha estado con la familia desde 1901. 3. Guillermo sabe que su mujer ha ido muy lejos con Mauricio. 4. Daniel fué frío y desatento con Mauricio. 5. Mauricio se enamoró de Marta a pesar suyo. 6. Daniel leía *Teresa Raquin*, novela francesa. 7. Cuando dormía Daniel, Marta iba a su cuarto y esperaba hasta que se levantara despierto. 8. Marta le dijo a Daniel que Mauricio le hacía daño a ella. 9. Mauricio le dió una pistola y le dejó salir de su cuarto. 10. Mauricio quiere decir la verdad a Guillermo para darle un poco de tranquilidad.

D. *Escríbase el tiempo pasado perfecto o pluscuamperfecto de los verbos que están escritos en bastardillas:*

1. ¿Por cuántos años *vivir* la criada con ellos? 2. Él *decir* eso de una manera extraña. 3. ¿Estaba usted seguro de que él nunca los *oír* conversar? 4. Él *portarse* siempre como un hombre. 5. El muchacho *morir* el lunes pasado. 6. Ellos *hacer* mutis por la derecha, con lenta decisión. 7. En dos años sólo una vez *volver* a casa ellos. 8. Ella *ponerse* furiosa cuando hablaban del divorcio. 9. Nosotros no *ver* nunca a Daniel dormido. 10. ¿Por qué no le *escribir* ella una carta antes?

E. *Escríbase el modo subjuntivo de los verbos que están escritos en bastardillas, explicando las razones de su uso:*

1. Él quiere que yo *conocer* al notario. 2. Voy a pedir que ella *divorciarse*. 3. Él puede matar a su padre sin que nadie le *culpar*. 4. Dudo que usted le *explicar* la verdad. 5. Dígale que él la *proteger*. 6. Me alegro de que él le *sugerir* la idea a Daniel. 7. Ella me ruega que le *poner* ideas en la cabeza. 8. Ellos no van a hacerlo aunque *saber* la razón. 9. Cuando *llegar* nosotros, se lo explicaremos. 10. ¿No cree usted que él *volver* a proceder de otro modo?

F. *Contéstense a las preguntas siguientes con oraciones completas:*

1. ¿Por cuántos años ha estado Jacinta con la familia? 2. ¿Ha visto a Guillermo maltratar a su hijo en todo ese tiempo? 3. ¿Qué le da Mauricio a Guillermo? 4. ¿Por qué quiere darle las gracias Guillermo? 5. Según él, ¿cómo se ha portado Mauricio en su casa? 6. ¿Qué quiere Guillermo que le diga? 7. ¿Dónde se sienta Mauricio? 8. ¿Cómo fué Daniel con él? 9. ¿Cómo le trató en las últimas semanas? 10. Según Mauricio, ¿quién se manda en el amor? 11. ¿Le interesa a Guillermo lo que su esposa piense? 12. Según Mauricio, ¿qué debe preguntarse Guillermo? 13. ¿Qué empezó a hacer Daniel en este último mes? 14. Según Mauricio, ¿oyó Daniel su conversación con Marta? 15. ¿Qué clase de novelas leía Daniel? 16. ¿De qué hablaron claramente una vez Mauricio y Marta? 17. ¿Ha estado escuchando Marta la conversación entre su esposo y Mauricio? 18. ¿Qué seña le hace a Mauricio? 19. ¿Quién está en el comedor esperando a Guillermo? 20. ¿Qué hizo Guillermo cuando Marta le dijo que quería divorciarse?

21. Según Marta, ¿cómo quedará verdaderamente liberada? 22. ¿Con quiénes irá a vivir mientras se arregla su divorcio? 23. ¿Cómo sabe que Daniel no estaba dormido cuando se mató? 24. ¿Cómo estaba ella aquella noche cuando descubrió el sonambulismo de su hijo? 25. ¿De qué tuvo miedo cuando pidió que Mauricio la protegiera? 26. ¿Qué pensó que Daniel podría hacer en el acceso de sonambulismo? 27. Cuando dormía su hijo, ¿qué hacía todas las noches? 28. ¿Qué ideas le ponía en la cabeza de Daniel?

29. ¿Cuándo le dió la pistola? 30. ¿Por quién hizo ella todo eso, según Mauricio?

[IX]

A. *Escríbanse sinónimos de las palabras siguientes:*

1. empeño
2. fugarse
3. noticia
4. entero
5. feliz
6. capaz
7. alzar
8. avisar
9. sereno
10. simplemente

B. *Escríbanse antónimos de las palabras siguientes:*

1. oponerse
2. vender
3. valor
4. gastar
5. alegrarse
6. feliz
7. amar
8. sencillez
9. peor
10. nacer

C. *Escríbanse oraciones originales empleando las expresiones siguientes de tal modo que se revele el significado de la expresión:*

1. poco a poco
2. fijarse en
3. tirar la escritura
4. por supuesto
5. ahora mismo
6. por lo tanto
7. volverse loco
8. de cara al público
9. estar cuerdo
10. más de una vez

D. *Escríbase el modo pasado de subjuntivo de los verbos que están en bastardillas:*

1. Cuando volví, me pidió que nosotros *irse* a Europa. 2. No quise que él *llevar* a una loca consigo. 3. Era mejor que Daniel *matarse*. 4. Ella se volvió loca sin que nada *poder* impedirlo. 5. Le pedí que él *despedirse* de Guillermo. 6. Él tuvo miedo de que nosotros lo *creer*. 7. Era necesario que ellos me *hacer* caso. 8. Si usted no *estar* cuerda, no habría

101

resistido lo que ha pasado. 9. Ella no quería que se lo *decir* yo. 10. Yo esperaba en su cuarto hasta que él *levantarse* dormido.

E. *Escríbase el tiempo progresivo presente de los verbos que están escritos en bastardillas:*

1. La gente *fijarse* en ella en la calle. 2. Su amor *crecer* más a cada momento. 3. Yo *sentir* que respiro más libremente. 4. Usted *destruir* todos sus planes. 5. Yo le *decir* que ella se volvió loca ante mis ojos. 6. Ellos no *dormir* tampoco. 7. Ella le *pedir* el divorcio. 8. Nosotros *leer* la escritura para ver si es legítima. 9. Ella *huir* de sí misma. 10. En este momento ellos *despedirse* de Guillermo.

F. *Contéstense a las preguntas siguientes con oraciones completas:*

1. ¿Vió Marta a su hijo cuando se ponía la pistola en la boca? 2. ¿Por qué no hizo nada para detenerle? 3. ¿Quién hizo fracasar a Guillermo? 4. ¿Cómo ha pasado Marta toda su vida? 5. ¿Qué le dijo a Guillermo respecto a su madre y sus hermanos? 6. Según Mauricio, ¿cómo es a veces la familia? 7. ¿Por qué se casó Marta con Guillermo? 8. ¿Qué obligó que su esposo hiciera? 9. ¿Qué ocurrió cuando Daniel cumplió cinco años? 10. ¿Qué quería ser Guillermo primero? 11. ¿Por qué no quiso ir a Europa Marta? 12. ¿Qué noticia llegó después de instalarse en Chihuahua? 13. ¿La acompañó Guillermo cuando fué a México? 14. Cuando volvió, ¿qué le pidió su marido? 15. ¿Por qué no tenía un centavo Guillermo? 16. ¿Cuánto tiempo hace que vuelve Marta a la capital? 17. ¿Por qué tiene tanto empeño en alejarse de su familia? 18. ¿Cuándo se volvió loca su madre? 19. ¿Cómo empezó ella sus locuras? 20. ¿Qué les regalaba a los cocheros?

21. Después de quedarse sin dinero, ¿qué le pasó? 22. ¿Por qué era imposible vivir en México? 23. ¿Qué hizo cuando la gente se fijaba en ella en la calle? 24. ¿Qué hizo cuando vió a Daniel acercarse la pistola? 25. ¿Qué sintió cuando él disparó? 26. ¿Por qué pensó Mauricio en suicidarse? 27. Si Marta se fuera con Mauricio, ¿por qué lo consideraría

como un castigo de Dios? 28. ¿Todavía odia mucho a Guillermo? 29. ¿Qué pensamiento no le dejará nunca a Marta? 30. ¿Por qué cree Mauricio que él mismo es el cómplice de Marta? 31. ¿Qué va a hacer si Marta no viene con él? 32. ¿Cómo está Guillermo después de hablar con el abogado? 33. ¿Qué acaba de hacer el notario? 34. ¿Qué va a hacer Guillermo? 35. ¿Qué se decide a hacer Marta? 36. ¿Cómo sale Mauricio? 37. ¿Por qué se oye golpear la puerta del zaguán? 38. ¿Por qué no puede salir Guillermo de Durango? 39. ¿Por qué llega el grupo de señoras enlutadas? 40. ¿Qué hacen las enlutadas mientras cae el telón?

PROYECTOS GENERALES

I. Hágase un resumen breve del argumento de la comedia.

II. Prepárese una crítica de la obra desde los siguientes puntos de vista: (1) el tema o asunto, (2) los personajes, (3) el ambiente o la escenografía, (4) las ideas o los sentimientos, (5) el estilo, (6) la estructura y (7) su juicio final.

III. Analícese la situación siguiente: ¿Quién tiene más culpa del suicidio de Daniel? *Hágase una lista por orden de responsabilidad de los culpables, justificando sus razones:*

1. Mauricio por su debilidad y deslealtad.
2. Marta por su locura y egoísmo.
3. Guillermo por su ambición.

VOCABULARIO

Abbreviations:

adj. adjective
adv. adverb
Am. American
coll. colloquial
conj. conjunction
f. feminine
Fr. French
gram. grammatical
inf. infinitive
interj. interjection

m. masculine
Mex. Mexican
n. noun
p.p. past participle
pl. plural
pres. p. present participle
pron. pronoun
sing. singular
theat. theatre, theatrical

From this Vocabulary the following items have been omitted: regular forms of verbs and irregular forms of the most commonly used verbs; regular past participles provided the infinitive is given; personal pronoun objects, reflexive and subject pronouns; possessive adjectives and pronouns; some proper names that require no translation or explanation; words which occur only once and are explained in the Notes; exact cognates; adverbs in *-mente* when the adjective is given. Otherwise, the vocabulary is intended to be complete. Idiomatic expressions are listed under the key word of the idiom. If the gender of nouns does not appear, those nouns ending in *-o* are masculine and those ending in *-a, -ión, -dad, -ez, -tad, -tud,* and *-umbre* are feminine. In the case of adjectives, only the masculine form is given, unless the feminine is irregularly formed. Radical-changing verbs are indicated in parentheses after the infinitive in the following way: Class I: *cerrar (ie), contar (ue);* Class II: *sentir (ie, i), morir (ue, u);* Class III: *pedir (i).* Prepositions that generally accompany certain verbs are given in parentheses after the infinitive or after past participles if shown separately. The dash (—) is used to refer to the first entry.

A

abajo below
abandonar to abandon, give up; to despair; to forsake
abierto (*p. p.* of **abrir**) open, opened
ablativo ablative case (*gram.*)
abogado lawyer, attorney
abrazar to embrace; —se de to take hold of
abrazo embrace
abrigo overcoat; wrap
abril April
abrir to open
abrumado crushed, oppressed, overwhelmed
absolución absolution, pardon, acquittal
absoluto absolute
absorto (*p. p.* of **absorber**) absorbed
abstener to abstain, forbear
abstracción abstraction; concentration
absurdo absurd, ridiculous
abuelo grandfather
abundante abundant
aburrido weary, bored
acá here; **ven —** come here
acabar to end, finish, eliminate; **— con** to do away with; **— de** + *inf.* to have just + *p. p.*
acariciar to caress, fondle
acarrear to occasion, cause; to carry
acaso perhaps
acceso access; attack, fit
acción action
accionar to gesticulate; to move; to operate
acechar to lie in ambush for; to spy on
acento accent
aceptar to accept
acerca de about, with regard to
acercar to move or draw near, pull up; **—se (a)** to approach, draw near (to)
aclarar to clear up, clarify, explain; to ascertain
acomodado well-to-do, wealthy
acompañar to accompany, go with; **acompañado de** accompanied by
aconsejar to advise
acordarse (ue) (de) to remember, recollect; to agree
acorde *m.* chord; harmony of sounds
acostar (ue) to lay down; to put to bed; **—se** to go to bed, lie down
acostumbrar (se) a to be accustomed to
actitud attitude
acto act, action
actriz *f.* actress
actual current, present, of the present time
acuático aquatic, water (as adj.)
acuerdo agreement; **ponerse de —** to agree; **de —** in agreement
acumular to accumulate
acusar to accuse
adecuado adequate, suitable
adelantar to bring closer, advance, progress; **—se** to move ahead, to keep on
adelante ahead, farther on, onward
adelgazar to make thin; to discuss subtly
ademán *m.* gesture, movement, look
además (de) besides, furthermore
adentro inside
adiós good-bye
adivinar to guess
adjetivo adjective
administración administration, term of office

admirar to admire; —**se** to wonder
adónde where?
adoptar to adopt; to embrace (an opinion)
adorno adornment; ornament
advertir (ie, i) to advise; to warn; to take notice of
aeronauta *m.* aeronaut
afán *m.* eagerness, anxiety
afecto affection, love, fondness
afectuosamente affectionately
afirmar to affirm, assert, contend
afirmativo affirmative
afuera outside
agarrar to grasp, seize
ágil nimble, fast, light
agitar to agitate, shake, stir; —**se** to become excited
agobiado oppressed, overwhelmed
agradable pleasant, pleasing, agreeable
agradar to please, like, to be pleasing
agradecer to thank for, to be grateful for
agrupar to group; to cluster
agua (*f.* but **el**) water
aguantar to bear, put up with
aguardar to wait (for)
¡ah! oh! ah! (*interj.* expressing surprise)
ahí there; **por —** over there, somewhere around here
ahogar to stifle, choke; to drown
ahora now; **por —** for the present
aire *m.* air, atmosphere; **dar un —** to give one a cold
ajeno another's; foreign; contrary
al (**a + el**) at the, to the; **— +** *inf.* upon + *pres. p.*
alarido howl, outcry
albañil *m.* mason, builder
alcanzar to overtake, reach, attain, get; **— a +** *inf.* to succeed in + *pres. p.*
aldea village, hamlet
aledaño border, limit
alegrarse (de) to be happy, glad (of)
alegre merry, happy, joyful, gay
alegría happiness, joy, gaiety
alejar to take away, send away; —**se** to draw or move away
alfombra rug
algo something; somewhat; **por —** with reason, rightfully
alguien someone, somebody
algún (used for **alguno** before a *m. sing. n.*)
alguno some, any, someone
aliento breath; **sin —** out of breath; **tomar —** to take (catch) one's breath
aliviar to alleviate, relieve, ease, lighten, make better, soothe
alma (*f.* but **el**) soul
almendra almond; kernel
almohada pillow
alrededor (de) around, about
alterar to alter, change, transform
alternar to alternate
alto high, tall; important; upper; **a lo — de** to the top of; **por lo —** up high; **en —** up high; **en voz —a** aloud, out loud
altura altitude, height, loftiness
alusión allusion, reference
alzar to raise, lift; —**se** to rebel, rise up
allá there; **más —** farther; **más — de** beyond
allí there; **por —** over there, around there
ama (*f.* but **el**) mistress of the house; landlady; housekeeper
amable kind, friendly
amamantar to nurse, suckle
amar to love
amargo bitter

amargura bitterness
amazona amazon: a masculine woman; riding-habit
ambición ambition, desire
ambiente *m.* atmosphere, ambient, environment
ambiguo ambiguous, doubtful
ambos both
amenaza threat; menace
amigo friend; **ser muy —** to be a very good friend
amistad friendship
amor *m.* love; **—propio** self esteem
amour *Fr.* love
amplificación enlargement
amplio ample, roomy, extensive, large, plentiful
análisis (*m.* or *f.*) analysis
analítico analytical
analizar to analyze
anciano old, ancient; elder, elderly
andar to walk, go (along); to "chase around"; **ande** move on! get up! all right! go ahead!
ángulo angle; corner
angustia anguish, affliction, distress
ánimo spirit, courage
anoche last night
ansiedad anxiety
ante before
anterior anterior, former, foregoing, preceding
antes (de) before, previously; **— que** before, rather than
antibélico anti-bellicose, anti-war
antiguo old, ancient, antique
antipático uncongenial, disagreeable
antónimo antonym
anublar to cloud, darken, obscure
anunciar to announce
añadir to add

año year; **el — pasado** last year
apagado extinguished; dull (color)
apagar to put out, extinguish
aparecer to appear
apariencia appearance; **en —** apparently, outwardly
apartar to retire, withdraw, separate, divide
apasionado impassioned, afflicted, tormented
apelar to appeal, have recourse to
apenar to cause pain, sorrow; to grieve
apenas hardly, barely
apesadumbrado anxious, vexed, mournful; grief-stricken
apodo nickname
apoyar (en) to support, lean (on)
apoyo support; help
aprender to learn; **— de memoria** to memorize
apresurarse a to hasten to
apretar (ie) to tighten, squeeze, clench
aprisionar to imprison
aproximarse a to approach, move near to
apuntalar to prop; to sustain
apuntar to aim, level; to point out; to note, make a note of
aquel, aquella that; **aquellos, aquellas** those
aquél, aquélla that one; he; the former; **aquéllos, aquéllas** those
aquí here; **— mismo** right here; **por —** this way
árbol *m.* tree
arder to burn
ardiente ardent, passionate, fervent, fiery
argumento summary; plot (of a play, etc.)
arma (*f.* but **el**) arm, weapon
armarse de to arm oneself with
aro hoop, rim

arquitecto architect
arquitectónico architectural
arquitectura architecture
arrancar to pull out, tear away
arrastrar to drag; to move, urge; to degrade
arrebatado rapid, violent, rash, impetuous; enraptured
arrebato surprise; sudden attack; fit; rage; rapture
arrebatar to stir, be led away by emotion
arreglar to arrange, settle, regulate; to conform
arreglo order; rule; arrangement; **con —** a according to, in accordance with
arriba above, overhead; **— de** higher up than; beyond; above
arrojar to throw, cast out
artículo article
artístico artistic
asco nausea, loathing
asegurar to assure, affirm; **—se de** to make sure to
asentir (ie, i) to agree, assent, acquiesce
asesinar to assassinate, kill, murder
asesinato assassination
asesino assassin, murderer
así thus, so, in this way; **— como** just as; **— que** as soon as; **y cosas —** and things like that
asilo asylum; **— de locos** insane asylum
asir to grasp, seize, take hold of
asistir (a) to attend, be present (at)
asomar to show, appear
asombro astonishment, amazement
aspecto aspect, look, appearance
aspiración aspiration
asunto subject, matter, affair
asustar to frighten, startle
atacar to attack

ataque *m.* attack
ataúd *m.* coffin, casket
atemorizado frightened
atención attention; **prestar —** to pay attention
atender (ie) to attend to, take care of
atentar (ie) to attempt
aterrar to terrify
atestiguar to depose, witness, attest; to prove
atleta *m.* athlete
atmósfera atmosphere
atormentar to punish, torment
atraer to attract, allure, charm; to bring on
atrás behind, in back, past, ago; **de tiempo —** for a long time
atreverse (a) to dare (to); to venture
atrevido bold, daring
atribuir to attribute, ascribe
atropellar to run over, hit, injure
atroz atrocious
aturdido bewildered, confused
aturrullado perplexed, bewildered
augusto august, magnificent
aumentar to augment, increase, intensify
aun (written and pronounced **aún** when stressed) still, even, yet
aunque although, even though
ausencia absence
autógrafo autograph
automáticamente automatically
autor *m.* author
autoridad authority
autorizado responsible, respectable
autorizar to authorize, empower; to attest, legalize, approve
aventura adventure
avergonzar (ue) to shame, abash, confound; **—se** to be ashamed

avieso irregular, crooked; mischievous
avisado cautious; sagacious
avisar to notify, advise, inform
aviso information, notice, announcement; advice, warning
ayer yesterday
ayuda help, aid, assistance
ayudar to help, aid
azoro confusion
azúcar *m.* sugar
azul blue

B

bajar to lower, go down
bajo under, beneath, low, down
balazo shot; **darse de —s** to shoot; to become involved in a shooting
balcón *m.* balcony
baldío vain; unmotivated, groundless
banca bench
banco bench; settee
banqueta three-legged stool
barba beard; chin; —s beard, whiskers; **hacer la —** (*Mex.*) to flatter, "apple polish"
base *f.* base; basis
básico basic, fundamental
bastante sufficient, enough; rather; —s several, many
bastar to be enough, be sufficient
bastardillas italics
bayo bay (color)
bebé (*m.* and *f.*) baby
beber to drink; —se to drink up
belleza beauty
bello beautiful
beneficiar to benefit; to cultivate, develop, exploit
besar to kiss
bestia beast, brute
bibliografía bibliography
bien well, all right, fine; very; good; **más —** rather, somewhat; **pues —** well then; *m.* welfare

bigote (s) *m.* mustache
blanco white; blank; **en —** blankly; **con voz —a** blankly; **ponerse —** to turn pale
block *m.* pad
boca mouth
bodega wine vault, cellar; storeroom
bohemio Bohemian
bolsillo pocket
bondad kindness; **tenga la — de** +*inf.* please . . .
bonete *m.* bonnet; conical cap worn by clowns
bonito pretty, fine, nice
bostezar to yawn
botella bottle
boyante buoyant; gay, happy
bravo brave, valiant; savage, wild
brazo arm
breve brief, short, slight
brillante brilliant, bright, shining
brioso spirited
bruscamente rudely, harshly
buen (used for **bueno** before a *m. sing. n.*)
bueno good; **estar —** to be well
bufanda muffler
burla mockery, joke; **hacer —** to make fun of
buscar to look or look for; —se to bring upon oneself

C

cabalgar to parade or mount on horseback
caballero gentleman
caballo horse; **montar a —** to go horseback riding; **a —** on horseback
cabello hair
cabeza head; **de pies a —** from head to foot
cabo end; **al — de** at the end of

cada each, every
cadáver *m.* corpse
caer to fall; to drop; **—se** to fall down; **dejar —** to drop
café *m.* coffee
cajón *m.* box, case, chest; drawer
«calandria» colorful 19th century carriage still available in Mexico to tourists, particularly in the provinces, for city tours or romantic moonlight rides. Although known as a **coche de provincia,** the more common name is **«calandria.»**
cálido warm, hot; crafty, artful
caliente hot, warm
calificación mark or grade (in a course or examination)
calmar to calm
calor heat; **hace —** it's warm; **tener —** to be warm
caluroso warm, hot
callado silent, quiet, reticent
callar to silence; **—se** to be silent, shut up
calle *f.* street
cama bed
cambiante changeable
cambiar to change
cambio change; **a — de** in exchange for; **en —** on the other hand
caminar to walk, move
camino road, path, way; **en — (de)** on the way (to)
camisa shirt; **en mangas de —** in shirt-sleeves
campaña campaign
campeón *m.* champion
campo field; country
canción song
candelabro candelabrum
candidato candidate
canoro musical, melodious
cansado tired
cansancio tiredness, weariness, fatigue **hasta el —** up to the saturation point
cantar to sing
capa cloak, cape; layer, coat, coating
capaz capable, able
capilla chapel; hood, cowl
capital *m.* capital (money); *f.* capital (city)
capricho caprice, whim, fantasy
caprichoso capricious; stubborn
capturar to capture; to arrest, apprehend
cara face; **de —** opposite, facing
caracol *m.* snail; large conch shell
característica characteristic
cariño love, affection
cariñoso affectionate, loving
carmín carmine color
carrera career
carro car, automobile
carta letter; playing card
cartera portfolio; office of a cabinet minister
casa house, home; **en —** at home
casar (se) to marry; **— con** to get married to
cascabel *m.* bell
casi almost
caso case; occasion; **en todo —** in any case; **hacer — de** to pay attention to
castigo punishment; penalty; reproach
catorce fourteen
cauda train or tail of a large cape
causa cause, reason; **a — de** because of
causar to cause
cavilación cavillation, faultfinding
ceder to cede, yield, give in, submit
céfiro zephyr
celebrar to celebrate, hold
célebre famous, renowned

111

celos jealousy; **tener — (de)** to be jealous (of)
cena supper
ceniciento ash-color red
centavo cent, penny
centro center
cera wax candle
cerca (de) near, close by, nearby
cerrar (ie) to close; **— el paso** to block the way
cerro hill
cesto basket
ciego blind
cielo sky, heaven; ceiling
cien (used for **ciento** before the word modified)
ciento hundred
cierto certain, true, sure; **por —** surely, certainly
cigarrillo cigarette
cigarro cigar; (in some places) cigarette
cinco five
cincuenta fifty
cínico cynic, cynical
circo circus
círculo circle; group
circunstancia circumstance
citadino "citified"; having manners and characteristics of the city
ciudad city
Ciudad Juárez a border city in the state of Chihuahua, opposite El Paso, Texas
civil civilian
claramente clearly, distinctly
claridad clearness, distinctness, brightness
claro clear, bright, light; open, frank; of course; **— está** of course, evidently
clase *f.* class, kind
clavar to nail, drive in, stick in, fasten in
clima *m.* climate
clínica clinic

Coahuila northern state of Mexico about 650 miles from Mexico City; its capital is Saltillo
cobarde coward; cowardly
cocina kitchen
coche *m.* carriage, coach, car
cochero coachman
codiciar to covet
codicioso greedy
coger to catch, grab; **— un aire** to catch a cold
cólera anger, rage, fury
cólerico angry, wrathful
colgar (ue) to hang, suspend
colocar to arrange, put in due place or order; to place, provide with employment, take on a job
combatir to combat, fight
combustible *m.* fuel
comedia comedy; play, drama
comedor *m.* dining room
comenzar (ie) to begin, commence
comer to eat; **—se** to eat up
comestible eatable, edible
cómico comic, comical, funny
como as, like; **así —** just as; **— a** about
¡cómo! what! how! why!
¿cómo? how? why? what?
cómodo convenient; comfortable
compañero companion; **— de banca** desk or seat mate
compañía company
comparar to compare
compartir to share
compás *m.* time, motion of the baton
completo complete
cómplice *m. and f.* accomplice
componer to compose; to fix
compositor *m.* composer
compostura composure, poise
comprender to understand, realize
comprobar (ue) to verify, con-

firm, check; to compare; to prove
compuesto (*p. p.* of **componer**) composed
común common; mutual
comunicación communication; connection
comunicar to communicate; to transmit, send; — **con** to lead into; —**se** to connect
comunismo Communism
con with; **para** — towards, to
concebir (i) to conceive
conceder to concede
concentración concentration
conciliador conciliatory
concreto concrete, not abstract, definite
condena sentence, term of imprisonment
condicional conditional
conducir to lead, direct; to carry
conducta conduct, behavior
confesar (ie) to confess
confianza confidence
confiar (en) to trust (in); to rely (on)
congreso congress, assembly
cónico conical
conmigo with me
conmover (ue) to move emotionally, excite, touch, disturb, agitate
conocer to know, recognize, be acquainted with
conocimiento knowledge
conque so then, and so
consecuencia consequence
conseguir (i) to get, obtain; to succeed in
consentir (ie, i) to consent; to coddle, spoil
conservar to keep, conserve
considerar to consider, think over; to treat with respect
consigo with himself, herself, yourself, themselves
consistir to consist
constantemente constantly
constitución constitution
construcción construction
construir to construct, build
consuelo consolation, comfort
consumir to consume; to waste away
contar (ue) to count; to relate, tell; — **con** to count or depend on
contemplar to contemplate, look at
contener to contain, curb, restrain; —**se** to control oneself
contento content, happy, satisfied
contestación answer
contestar to answer, reply
contigo with you
continuar to continue, keep on
contra against; **en** — **mía** against me
contradictorio contradictory
contrario opposite, contrary; **al** — on the contrary
contribuir to contribute
contuso bruised
convencer to convince
conversación conversation
conversar to converse, talk, chat
convertir (ie, i) to convert, change; —**se en** to become
convulsivamente convulsively
coñac *m.* cognac, brandy
copa goblet, wine or brandy glass
copiar to copy
corazón *m.* heart
corona crown
corredor *m.* corridor, gallery
corregir (i) to correct
correr to run; to circulate; to pass; to dismiss
corresponder (a) to match, correspond; to respond (to); to fit, suit

correspondiente corresponding, respective; suitable
corresponsal *m.* correspondent, newspaper correspondent
corriente *f.* current; draught (of air); cheap; present (month of year)
cortado confused, abashed
cortante sharp, cutting
cortar to cut, cut off, interrupt
cortesano courtlike, courteous, obliging, courtly
cortinajes *m.* curtains
corto short, brief
cosa thing
coser to sew
cosmógrafo cosmographer: one skilled in the science which maps the general features of the universe
costar (ue) to cost
costumbre custom, habit; **tener — de** to be accustomed to
costura sewing; needlework
crecer to grow (up)
crecimiento growth, growing up, increase
creencia belief
creer to believe, think; **ya lo creo** yes indeed
criado servant
criatura creature, baby, infant, child; being, man
crimen *m.* crime
crítica criticism, critique
crudo crude; cruel, pitiless
cuaderno notebook, composition book; **— de música** musical score, music book
cuadro picture
cuadrumano quadrumanous: four-handed
cual which, what; like, as; **el —, la —, lo —, los —es, las —es** who, which; **tal por —** so and so
¿cuál? which (one)? what?

cualquier (used before a *sing. n.* for **cualquiera**)
cualquiera any, anyone; **de cualquier modo** at any rate
cuando when; **de vez en —** from time to time
¿cuándo? when?
cuanto as much as; *pl.* as many as; all that; all those; **en —** as soon as; **en — a** as for; **unos —s** some, few, a few; **— antes** immediately, without delay
¿cuánto? how much? **¿cuántos?** how many?
cuarenta y dos forty-two
cuarto room; fourth; quarter
cuatro four
cubierto (*p. p.* of **cubrir**) covered; **—** *m.* place at the table; **poner un —** to set a place at the table
cubrir to cover
cuchichear to whisper
cuello neck; collar
cuenta bill; account; **darse — de** to realize
cuento story
cuerdo prudent, discreet, sensible, wise; in one's senses, not mad
cuerpo body
cuestión question (for discussion); problem; matter
cuidado care, worry; **tener —** to be careful
cuidar (de) to take care of, care for; **—se de** to take notice of
culpa fault, guilt, blame; **echar la — a** to blame; **tener la — (de)** to be to blame
culpable guilty
culpar to blame, accuse, condemn
cumplir to discharge, perform, obey; **— años** to reach one's birthday
cuna cradle

curar to cure, heal
curiosidad curiosity
curioso curious, strange
cuyo whose, of whom, of which

CH

chal *m.* shawl
charlar to chat
Cherif, Cipriano Rivas Well-known Spanish stage director who during the Republic directed the company of Margarita Xirgu. He has been active in the theatre in Mexico City and directed an all-woman production of Usigli's *Corona de Sombra* with students of a convent in Puerto Rico.
chico little, small; *n.* little boy; dear boy
Chihuahua town and state in the northern part of Mexico
Chippendale, Thomas (1718–1779), famous English cabinetmaker
chiquillo small child, little one
choque *m.* clash; collision

D

daño harm, injury, damage; **hacer —** to hurt
dar to give; to suggest; **— a** to open on, overlook; **—se cuenta de** to realize, account for; **—se de balazos** to shoot, become involved in a shooting; **— fin** to end; **— horror** to shock **— la espalda** to turn one's back; **— las gracias** to thank; **— media vuelta** to turn halfway around; **— miedo a** to frighten; **— muerte** to kill; **— un aire** to catch or get a cold; **— sobre** to open on or upon
Darwin, Charles (1809-1882), English naturalist who expounded the theory of evolution as applied to plants and animals
datar to date
de of; from; about; with
debajo (de) under, below
debatir to argue, discuss, debate
deber to owe, must, should, ought; **—** *m.* duty, obligation
debido a owing to, on account of, due to; **debido** proper
débil weak
decente decent; honest; kind; well-behaved
decidir to decide; **—se a** to decide to
decir to say, tell; **es —** that is to say **— que sí** to say so; **usted dirá** I'm listening
declarar to declare
decorado decoration; stage setting
dedicar to dedicate
dedicatoria dedication; dedicatory, inscription of a book
dedo finger; toe
deducir to deduce, conclude
defender (ie) to defend
definido definite
dejar to leave, abandon; to let, allow; **— de** to stop, cease; to fail to; **— caer** to drop
del (de + el) of the; from the
delante (de) in front (of); **por —** in front
delgado thin, lean, slender, slim
deliberadamente deliberately, intentionally
delicado delicate; gentle, refined
demás other; **los —** the others, the rest; **por lo —** aside from this; furthermore; as to the rest
demasiado too, too much, too well
demoníaco demoniacal, devilish

115

demostración demonstration; proof
demostrar (ue) to demonstrate, prove, show
denotar to denote
dentro (de) within, inside (of)
denunciar to denounce, reveal
depender de to depend on
dependiente de dependent on
derecho right; straight; **a la derecha** to the right
derramar to shed
desaconsejar to dissuade
desacreditado discredited
desagradable disagreeable, unpleasant
desagrado discontent, displeasure
desagüe *m.* drain; drainage; cesspool
desaparecer to disappear
desarrollar to develop; to unroll, unfold, unwind; to promote, improve
desarrollo development; unfolding, unwinding
desasir(se) (de) to disengage or rid oneself (of); to give away; to give up
desatento inattentive; thoughtless; discourteous, unmannerly
desbaratar to destroy, break to pieces, ruin
descalzo barefooted
descender (ie) to descend, go down
descompostura disarrangement; disadjustment; breakdown
desconcertante disconcerting, baffling
desconcertar (ie) to disconcert, baffle; to disturb, confuse
desconfianza distrust; jealousy; suspicious fear
desconocido unknown
describir to describe; to sketch, trace

descubierto (*p. p.* of **descubrir**) discovered, revealed, uncovered
descubrir to discover, reveal, uncover
descuidar to neglect, overlook, forget
desde from, since; — **ahora** from now on; — **luego** of course; immediately; — **hace** for, since; — **que** since, ever since
desear to desire, want, wish
desempolvar to remove dust; to dust (off)
desencantado disenchanted, disillusioned
desenlace *m.* denouement, winding up; end, conclusion
desenvolver (ue) to unfold, unroll; to unwrap
deseo desire
desequilibrar(se) to become unbalanced, unpoised, confused
desesperado desperate
desesperar to lose hope; to despair
desgraciado unfortunate, unhappy
deshacer to upset; to undo, destroy
deshecho upset, destroyed; undone; exhausted
deshonra dishonor
desierto desert, wilderness, wasteland
designar to designate, name, appoint
desistir to desist, cease, give up; to flinch
desleal disloyal; faithless
deslucido unadorned; awkward
deslumbrar to dazzle; to puzzle, leave in doubt
desmantelado dismantled; dilapidated
desmayado pale, wan, faint of lustre; depressed

desmejorado debased, impaired, worse; deteriorated
desmontado dismounted
desnudez nudity, nakedness
desorden *m.* disorder
despectivo depreciatory; contemptuous
despechado enraged, excited, indignant
despecho spite; despair; grudge; **a — de** despite, in spite of
despedida farewell, leave-taking
despedir (i) to dismiss; **—se (de)** to take leave (of), say goodbye (to)
despertar(se) (ie) to awaken, wake up
despierto awake
desplegar (ie) to unfold, display; to spread, lay out
despoblado empty; stripped
despreciable contemptible, despicable, low-down
despreciar to despise, scorn, look down on
despreocupado unprejudiced, unbiased
después after, later, then; **— de** after
destacar to emphasize; to stand out
desteñido discolored
destierro exile
destino destiny, fate
destrucción destruction
destruir to destroy, ruin
desunido separated, estranged
desvelar(se) to keep awake, pass a sleepless night
detalle *m.* detail
detener(se) to stop
determinación determination
determinar to determine, fix, limit, specify
detonación detonation, report (of a gun, etc.)

detrás (de) behind, after, in the rear (of)
deuda debt
devastar to devastate, ruin
devolver (ue) to return, give back
devorar to devour, swallow up, consume
devoto devout, pious; devoted
día *m.* day; **al — siguiente** on the following day; **al otro —** on the next day; **de — y de noche** night and day; **de un — a otro** from one day to the next; **— con —** day after day; **todos los días** every day
diario daily; daily newspaper
dibujo drawing, sketch
diciembre December
dictador *m.* dictator
dictadura dictatorship
dicho (*p. p.* of **decir**) said
deiciséis sixteen
diente *m.* tooth
diferencia difference
diferente different
difícil difficult, hard
difunto deceased, dead
digno worthy, outstanding
dinero money
Dios *m.* God; **por —** for heaven's sake; **— mío!** my God! goodness me! oh my!
dirección direction
directo direct
dirigir to direct, send; to cast
disciplina discipline; order, rule of conduct
discreto discreet, prudent
disculpar to excuse, pardon
discurso discourse, speech; dissertation
discusión discussion
discutible disputable
discutir to discuss, argue
disentimiento dissent, disagreement

117

diseño design
disgusto disgust, loathing; quarrel
disimuladamente slyly, on the quiet
disminuir to diminish; to belittle
disparar to shoot, discharge, fire
dispénseme usted excuse me
disponer to dispose; to arrange, lay out; to resolve, direct, order; —**se (a)** to prepare oneself, get ready (to)
dispuesto ready, disposed; arranged
disputar to dispute with, argue
distancia distance
distinguir to distinguish, make out, see clearly at a distance
distinto different, distinct
distraer to distract, harass the mind
distribuir to distribute
divertirse (ie, i) to have a good time
dividir to divide
divorciar(se) to divorce, get a divorce
divorcio divorce
doble double
documentar to document; to instruct, advise
doler (ue) to hurt, ache
doliente *m.* mourner
dolor *m.* pain, grief
dolorido pained, afflicted; doleful, aching; hurt
doloroso painful; regrettable; pitiful
domador *m.* animal tamer, subduer
doméstico domestic, tamed
dominar to dominate, control
don don, title for a gentleman, equivalent to Mr., but used only before Christian names
donde where, in which, the place where

¿dónde? where?
dorado golden, gilded, gilt
dormido asleep
dormir (ue, u) to sleep; —**se** to fall asleep
dos two; **los —** both
dosis *f.* dose
dramático dramatic
dramaturgo dramatist, playwright
duda doubt
dudar to doubt
dudoso doubtful, dubious
duelo sorrow, grief; mourning; "wake"
duplicación duplication, copy
duración duration
Durango capital of the state of the same name, about 631 miles north of Mexico City, primarily outstanding as a mining center
durante during, for
durar to endure, last
Durero, Alberto Albrecht Dürer (1471–1528), German painter, sculptor and engraver on wood and metal. Among his best known engravings on copper are his *Fortune, Melancholy, Adam and Eve in Paradise, Saint Hubert, Saint Jerome* and the so-called *Smaller Passion*.
duro hard, severe, firm; unjust, unkind, cruel

E

e (used before words beginning with **i-** or **hi-**) and
eco echo
económicamente economically
echar to throw, toss, throw out, hurl, cast; **— a** to begin to; —**se a perder** to spoil; **— de menos** to miss, notice the absence or loss of; **— de ver** to notice, observe

edad age; **tener su —** to be his age
edificio building
educar to educate
efecto effect; **en —** exactly, in fact, actually, as a matter of fact
eficaz efficacious, effective
egoísmo selfishness, egoism
egoísta selfish, egoistic
ejecutar to execute, perform, carry out
ejecutivo executive
ejemplar exemplary
ejemplificar to exemplify; to illustrate
ejemplo example; copy; **por —** for example
ejercicio exercise; **hacer —** to exercise
ejército army
elección election, selection
eléctrico electric, electrical
elefante *m.* elephant
elegante elegant, stylish, graceful
elegir (i) to choose, elect
elemental elementary, fundamental
elemento element
ello it; **por —** therefore
embajador *m.* ambassador
embargo: sin — nevertheless, however, notwithstanding
embobado amused, entertained; enchanted, fascinated
emoción emotion, excitement
empacar to pack
empedrar (ie) to pave with stones
empeñarse (en) to insist (on)
empeño insistence, determination
empezar(ie) to begin
emplear to use, employ
empleo job; employment
empolvado dusty
empujar to push, shove, press

en in, into, on, at
enagüilla kilt
enamorar to make love to; **—se de** to fall in love with
encandilar to dazzle, daze, bewilder
encantador charming, delightful
encanto charm, magic
encargar to entrust, place in charge; **—se de** to take (be in) charge of
encariñarse (con) to become fond (of)
encender (ie) to light, illuminate
encerrar (ie) to lock up, enclose; to confine; **—se** to shut oneself up; to live in seclusion
enciclopédico encyclopedic
encima (de) above, on top (of)
encoger to shrink, shrivel; **—se de hombros** to shrug the shoulders
encontrar (ue) to find, meet; **—se** to be; **—se con** to be confronted with
enemigo enemy
enemistad hatred, animosity
energía energy, force, strength
enero January
enfadar to anger, vex; **—se** to get or become angry
enfado anger, vexation
enfadoso annoying, vexatious
enfermedad sickness, disease
enfermo sick, ill
enfrente opposite, in front
engañar to deceive; to cheat
engaño deceit, fraud
enloquecer to madden, drive insane; to distract; to become insane
enlutado veiled in mourning
enlutar to darken; to put in mourning
enojarse to become angry
enorme enormous

enredo entanglement; plot (of a play)
enrojecer (se) to blush, turn red
enseñanza education, teaching
enseñar to teach; to show
ensombrecer to depress; to make dismal, gloomy, sad
entender (ie) to understand
enterado informed, posted
enterarse de to find out about, become informed of
entero whole, entire, complete; **años —s** years on end
enterrado buried
entierro burial, funeral, interment
entonces then; **por —** at that time, in those days
entrar (a, en, por) to enter (in, into)
entre between, among
entreabierto half-opened, ajar
entrecerrar (ie) to half-close
entregar to give, deliver, hand over; **—se** to devote oneself
entretanto meanwhile
envejecer to grow old
enviar to send
envidia envy
Eolo Aeolus, god of the winds
episodio episode
época age, era, time, epoch
equilibrio equilibrium, balance
equivocarse to be mistaken
erguido erect, straight
errante errant, roving, wandering
erudito erudite, learned
escándalo scandal
escapar(se) to escape
escaso small, limited, scanty
escena scene; **en (fuera de) —** on (off) stage
escenario stage
escénico scenic, pertaining to the stage
escenografía scenography

esclarecer to lighten, illuminate; to enlighten, elucidate
esconder to hide, conceal
escribir to write
escrito (*p. p.* of **escribir**) written
escritura deed of property
escrúpulo scruple
escuchar to listen to, hear
escuela school
ese, esa that; **esos, esas** those
ése, ésa that (one); **ésos, ésas** those
esfera sphere
esforzar (ue) to strengthen, invigorate; to encourage; **—se por** to try to
esfuerzo effort
eso that; that is why, therefore
espaciar to space; to diffuse, expand
espacio space; room; capacity; interval
espacioso spacious
espalda back; **de espaldas** backwards, from behind; **por la —** from behind, behind one's back; **volver la —** to turn one's back
espantoso frightful, dreadful, terrifying
esparcido scattered
especial special
especialista specialist
especie *f.* species, kind, sort
específico specific
espejismo mirage; illusion
espejo mirror
esperanza hope
esperar to hope, wait for, expect
espeso thick, heavy
espiar to spy (on)
espíritu *m.* spirit; soul; mind
esposo husband
esquina corner (outside)
estación station (train, bus, etc.); season
estado state, condition
estar to be; **— de** to be in a posi-

tion to; — a punto to be on the point or verge; — por to be in favor of; —se to remain
estatua statue
este, esta this; estos, estas these
éste, ésta this (one); éstos, éstas these; the latter
estilo style; use, custom, fashion
estímulo stimulus; inducement; encouragement
estival *adj.* summer
esto this; por — this is why, therefore
estómago stomach; echarse a perder el — to spoil one's stomach
estrechar to extend, hold out; to tighten; — la mano to shake hands
estremecer to shake; —se to tremble, shake, shudder
estrenar to open, to make one's début
estreno commencement, inauguration; first performance, début
estribo stirrup; perder los —s to lose one's head; to lose one's poise
estridencia noise; screech
estructura structure; order, method
estuche *m.* case, box
estudiante (*m.* and *f.*) student, pupil
estudiar to study
estudio study
estudioso studious
estúpido stupid
eterno eternal, constant
Europa Europe
evidentemente evidently
evitar to avoid
exacto exact; correct, accurate, precise
exagerar to exaggerate
examen *m.* examination; inquiry; inspection

examinar to examine, look at carefully
excepción exception
excesivamente excessively
excitación excitement
excitar(se) to become excited, moved, stirred up
exclamar to exclaim
excusa excuse
excusar to pardon, excuse
exhibir to exhibit, show
exigir to demand
existir to exist
experiencia experience
experimento experiment, test, trial
explicación explanation
explicar to explain
explotar to exploit; to develop
exponer to expose, explain
expresar to express
expresión expression; declaration; statement
expulsar to expel, eject, drive out
extenso extensive, large
extinguir to extinguish, put out, abolish
extranjero stranger, foreigner; foreign
extrañar to miss; to surprise; —se de to be surprised at
extrañeza surprise, wonderment
extraño strange, foreign
extraordinario extraordinary, unusual
extravagancia extravagance
extremo extreme, last, highest degree, utmost point; end; de un — a otro from one end to the other

F

fácil easy
facilidad ease, facility

facción feature
falda skirt
falso false, untrue, incorrect; deceitful, dishonest
falta lack; fault; mistake; **hacer —** to be lacking, to be missing or missed
faltar to lack; to need; to be lacking, be deficient; to miss; to falter, fail
fama fame; reputation
familia family
familiar of the family; domestic; frequent, common
famoso famous, renowned
fantasía fantasy, fancy, imagination
fascinar to fascinate, enchant
fascismo fascism
fastidiar to excite disgust; to sicken; to annoy, bore; **—se** to become bored or weary
fastidio dislike; weariness; boredom
fatalmente fatally
fatiga fatigue; hardship
favor *m.* favor; **hacer — de +** *inf.* please; **por —** please
favorito favorite, "pet"
faz *f.* face
fe *f.* faith; **a — mía** on my word of honor
febrero February
fecha date
fehaciente authentic
felicidad happiness; good luck
feliz happy, fortunate
férvido fervid, ardent
feudal feudal; dark, gloomy, somber
fiar (de) to trust, intrust, confide (in)
fiel faithful
figurar to figure, be conspicuous
figurín *m.* fashion-plate
fijamente firmly, assuredly, intensely

fijarse (en) to pay attention (to), be observant (of), notice
fin *m.* end, ending, conclusion; object, purpose; **al —** finally; **en —** finally; **con (a) fines de** towards; **por —** finally, at last
fingir(se) to feign, pretend
fino fine; perfect; thin, sheer; slender, delicate
firme strong, firm, unyielding
físico physical
flaco thin
flacura thinness, lack of flesh, leanness
flanquear to flank, be on each side of
flor *f.* flower
florero flower vase
fondo rear, back, background; **en el —** at heart, in substance
forma form
formación formation
formalmente formally
foro back (in stage scenery)
fosa grave; **— común** potter's grave
fracasado failure
fracasar to fail
fracaso failure
frágil fragile, frail, weak; brittle
francés French, Frenchman
franco frank, open
franquearse to be frank; to yield easily to the desires of others, to unbosom oneself
frecuentar to frequent; to repeat; **seguir frecuentando a** to keep on associating with
frecuente frequent, often
frente *f.* forehead; *m.* front; **al — de** in front of, at the head of; **de —** in front; **— a** opposite, in the face of; **— a —** face to face; **hacer —** to face
fresco fresh, ruddy, buxom
frío cold; **hace —** it's cold; **tener —** to be cold

friolera trifle
friolero chilly; very sensitive to cold
fruslería trifle
frustrado frustrated, defeated, thwarted
fuego fire
fuera (de) outside (of); besides, in addition to
fuerte strong
fuerza force, strength, power; courage; a — de by dint of, because of; a la — or por — by force
fugar to flee, run away; to escape
fugaz fugitive; running away; brief, fleeting
fugitivo fugitive, fleeting
fundamento foundation; basis; reason
fundar to establish, found; to base
furia fury
furioso furious
fútil trifling, flimsy, trivial
futuro future

G

gana desire; de mala — unwillingly; no me da la — I don't want to, I won't
ganar to earn, gain, win, conquer; — la vida to earn one's living
gas *m.* gas; air
gastar to spend
gemebundo howling, groaning
generación generation
generalizar to generalize
generalmente generally
género class, kind
generosidad generosity
generoso generous
genitivo genitive or possessive case (*gram.*)
gente *f.* people
gesto gesture, facial expression
gloria glory; pride
glorioso glorious
glotón glutton; gluttonous
gobernador *m.* governor
gobernar (ie) to govern
gobierno government
golosina delicacy, tidbit, sweet morsel
golpe blow
golpear to strike, hit, hammer, beat, knock
gordo fat
gorra cap
gorrión *m.* sparrow
gota drop; — a — drop by drop
gozar de to enjoy
gracia grace, beauty, wit; *pl.* thanks
gracioso graceful; pleasing; funny
grado degree, rank; al — de que to such a degree that
grafio graver tool for graffito or scratchwork
gran (used for **grande** before a *sing. n.*)
grande large, big, great, tall; old
grandeza greatness
grano grain
gratis free, for nothing
grave serious; ponderous, heavy
gravedad gravity, seriousness
gris gray
gritar to shout
grito shout, cry, scream, howl; a gritos loudly, at the top of one's voice
grupo group
Guanajuato capital of the state of the same name, about 250 miles north of Mexico City, at one time noted for gold and silver deposits
guapo handsome

guardar to keep, maintain, guard, protect
guardia *m.* guard; **en —** on guard
guerra war
guiar to guide, lead
gustar to please, be pleasing, like
gusto taste, pleasure, liking; **tan a —** so much to one's enjoyment or pleasure

H

haber to have (used to form the perfect tenses)
hábil capable, able
habilidad ability, skill; talent
habitación room
habitual usual, customary, habitual
hablar to talk, speak; **habla y habla** talking or chattering like a magpie
hacer to make, do, cause; to form; **— caso de** to pay attention to; **— daño** to hurt; **— falta** to be lacking; **— favor de** + *inf.* please; **— una pregunta** to ask a question; **—se** to become; **—se cargo de** to take charge of; **hace mucho tiempo** a long time ago; **hace muy poco** a short time ago; **— un papel** to play a role or part
hacia towards
hallar to find; **—se** to find one's self, be
hambre *f.* hunger; **tener —** to be hungry
hambriento hungry, starved; greedy, covetous
harto *adv.* enough; *p. p.* of **hartar** satiated, stuffed
hasta until, as far as, up to, even; **— luego** so long; **— que** *conj.* until

hay (impersonal form of **haber**) there is, there are; **había, hubo** there was, there were; **— que** it is necessary to, one must
hecho (*p. p.* of **hacer**) made, turned into, done, become; *m.* deed, fact, event
helado frigid, cold, indifferent; stupefied
herencia inheritance, heritage; heredity
herir (ie, i) to wound
hermana sister
hermano brother; *pl.* brothers, brothers and sisters
hermoso beautiful, fine
héroe *m.* hero
heroica heroic
hija daughter
hijo son; *pl.* sons, sons and daughters; children
hilarante hilarious
hipócrita hypocrite; hypocritical
historia story; history
hito: mirar de — en — to stare at; to look at; to look at from head to foot
hogar *m.* home
hoja leaf
hojear to turn the leaves of; to glance at (a book); to look over hastily
holgura frolic, merrymaking; width, breadth; ease, comfort
hombre *m.* man
hombro shoulder
honorario fee, honorarium
honradez honesty, integrity
honrado honest, honorable
hora hour
horriblemente horribly, terribly
hoy today
huir to flee, run away
humano human
humilde humble, poor
humillación humiliation

humillar to humiliate, humble, crush, subdue
humor *m.* **de buen —** in a good humor
hundir to submerge, sink; **—se** to sink; to collapse, fall down

I

Ibsen, Henrik (1829–1906), Norwegian dramatist and lyric poet whose principal works are: *A Doll's House, Ghosts,* and *Hedda Gabler,* all social problem plays
idealista idealist; idealistic
idioma *m.* language
iglesia church
igual equal, the same; **sin —** unequaled
igualmente likewise; constantly, equally
iluminar to illumine, illuminate, light
ilusión illusion
ilustrado learned, well-informed
imagen *f.* image
imaginación imagination
imbécil *m.* imbecile
imitar to imitate, mimic
impaciencia impatience
impacientar to vex, irritate; **—se** to become impatient
impaciente impatient
impedir (i) to impede, hinder, prevent; to block (the way)
imperativo imperative; command (*gram.*)
imperfecto imperfect tense (*gram.*)
implorar to implore, beg for
imponer to impose
importancia importance
importante important
importar to be important; to concern
importuno inopportune

imposibilidad impossibility
imposible impossible
impresión impression
imprudencia imprudence, indiscretion
impulso impulse
inasequible unattainable
inaugurar to inaugurate
incapacidad incapacity, incompetence
incapaz incapable, unable, incompetent
incitar to incite, spur, instigate
inclinar(se) to bow, bend down, lean down
incongruente incongruous, incongruent
inconscientemente unconsciously
incorporar to incorporate; to raise or to make (a patient) sit up; to unite, embody; to mix; **—se** to sit up
inculcar to inculcate, impress, teach
incurrir (en) to incur, become liable (to); to commit error
indicar to indicate, point out, tell
indicativo indicative mood (*gram.*)
indiferencia indifference
indiferente indifferent
indirecto indirect
indiscreto indiscreet, imprudent, unwise
individuo individual
indudable indubitable, certain
inepto inept, incompetent
inercia inertia, inactivity
inestable unstable
infancia infancy, childhood
infante *m.* infant, male child under seven years of age
infelicidad unhappiness, bad fortune
infeliz unhappy
infierno hell

influencia influence
influir to influence
informar to inform, tell, advise, report to; —**se de** to acquaint oneself with, find out about
informe *m.* report; *adj.* shapeless, formless
ingeniero engineer
inhumano inhuman
iniciar to begin, initiate
injusticia injustice
inmediato immediate
inmóvil motionless; fixed; unshaken
inmovilidad immovability; fixedness
innecesariamente unnecessarily
inocencia innocence
inquietante disquieting, disturbing
inquieto restless; anxious, uneasy, worried
inquina aversion, hatred, grudge
inseguro uncertain
insensiblemente insensibly; imperceptibly; unconsciously
insignificante insignificant
insistir (en) to insist (on); to persist (in)
insoportable unbearable, intolerable
inspirar to inspire
instalar to install; —**se** to settle down; to establish oneself
instante instant, moment
instinto instinct
institución institution
instruir to instruct, teach, train
inteligencia intelligence
inteligente intelligent
intención intention, purpose
intensamente intensely
intensificar to intensify
intenso intense
intentar to try, attempt, endeavor
interés *m.* interest

interesado interested; interested person
interesante interesting
interesar (en, por, con) to be concerned (with) or interested (in); to interest
interponer to interpose, place between
interpretación interpretation
interpretar to interpret
interrogar to interrogate, question
interrumpir to interrupt
intervenir to intervene
íntimo intimate
intitular to entitle, call by name
intrascendente not transcendent; beyond human knowledge
intriga intrigue; plot (of a play)
introvertido introverted
inventar to invent
inverecundo shameless, impudent
inverso inverse, inverted
invertir (ie, i) to invert, invest
investidura investiture
invitación invitation
invitar to invite
involuntariamente involuntarily, unwillingly
ir to go; —**se** to go away; **vámonos** let's go
irritar to irritate, vex
irrumpir to raid, invade, break into
izquierdo left; **a la izquierda** to the left

J

jadeante panting, out of breath
jaspeado variegated
jefe *m.* chief, head, leader, commanding officer
¡Jesús, María y José! gracious! goodness! my!
jinete *m.* rider
joven young

joyel *m.* small jewel, valuable trinket
juego play, game, sport; movement; set; suite; **mismo —** ditto, as before
juez *m.* judge
jugar (ue) to play; **— con** to match
juicio judgment; decision
junio June
juntar to join, unite, put together
junto near, together
jurar to swear
justicia justice
justo just, right, correct, exact, strict
juventud youth
juzgar to judge

L

labio lip
labor *f.* labor, task, work; design
lacio straight (hair)
lado side; **del — de** on the side of; **hacerse a un —** to move aside; **a ambos —s** on both sides; **por ese —** on that point
lágrima tear; **derramar una —** to shed a tear
lamer to lick; to lap
lámpara lamp; **— de petróleo** kerosene lamp; **— de pie** floor lamp
largo long; **a lo — de** along, the length of
lástima pity, compassion; **dar —** to arouse pity or regret ¡**Qué —!** What a shame (pity)!
lastimar to hurt
lastimosamente pitifully, sadly
lastre *m.* judgment, sense; burden
latón *m.* brass
laurel *m.* laurel, known as oleander bush or flower
lavar to wash

leal loyal
lealtad loyalty
lección lesson
lectura reading; lecture
leer to read
lejano distant, far off
lejos far, far off, far away; **a lo —** at a distance
lengua language; tongue
lenguaje *m.* language
lentitud slowness, sluggishness
lento slow, retarded
león *m.* lion
levantar to raise; **—se** to get up, rise up, rebel
leve light, trifling, slight
ley *f.* law
liberación liberation
liberar to liberate, free
libertad liberty, freedom
libre free
librero bookcase
libro book
licencia permission, leave, license, permit
ligar to tie, bind, fasten; to join together
ligero light; fast, nimble; slight
limitar to limit, restrict
límite *m.* limit, border
limosna alms
limpiar to clean
limpio clean, neat
lindo pretty
lírico lyric, lyrical
listo ready; clever; prepared
literalmente literally
literato literary person, writer
loco crazy, insane, mad
locuaz talkative, loquacious
locura madness, insanity; folly
lógico logical
lograr to achieve, obtain; **— +** *inf.* to succeed in + *pres. p.*
luciérnaga firefly
lucha fight, struggle
luchar to fight

127

luego then, soon, immediately; **desde —** of course; immediately; **¡hasta —!** so long!
lugar *m.* place; **de — en —** from place to place; **en — de** instead of
lunes Monday
luz *f.* light

LL

llamar to call, name; knock; **— la atención** to attract attention; **—se** to be called or named
llegar to arrive; **— a** to become
llenar to fill
lleno (de) full, filled, replete (with)
llevar to take; to carry; to wear; to lead; **— a cabo** to carry out; **—se** to take away, carry away
llorar to cry, weep
lloroso mournful, sorrowful, tearful

M

madera wood
maderista *m.* follower of Madero
madre *f.* mother
maduro mature, ripe; wise, judicious
maestro teacher
mágico magic, magical; wonderful
magistrado magistrate
magnífico magnificent
magno great
mal (used for **malo** before a *m. sing. n.*); *adv.* badly
maldad wickedness, iniquity, badness
malicia malice, maliciousness
malo bad, evil, sick
maltratar to maltreat, abuse
mamá mamma, mother
manchado discolored

mandar to order, command; **¿mande?** I beg your pardon; what do you wish?
manera manner, way; **a — de** as a kind of; **a la — de** in the fashion or style of; like; **de otra —** otherwise; **de todas —s** anyway
manga sleeve; **en —s de camisa** in shirt-sleeves
manicomio insane asylum
manifiesto (*p. p.* of **manifestar**) manifested, revealed
mano *f.* hand
manso tame, gentle, meek
manuscrito manuscript
mañana morning; tomorrow; **muy de —** very early; **de la —** in the morning; **hasta —** until tomorrow; **— mismo** tomorrow without fail; **pasado —** day after tomorrow
mapa *m.* map
máquina machine
maquinal mechanical
maravillar to admire, **—se (de)** to wonder (at), marvel
marco frame, door or window case
marchar to march; **—se** to march or go away
marea tide
marido husband
mármol *m.* marble
martes Tuesday
más more, most; **— de** more than; **— bien** rather, somewhat; **los —** the majority; **no —** only, not any more **por — que** in spite of the fact that; **no — que** not more than, only
masculino masculine
matar to kill
mate dull (color)
materialista materialist; materialistic
maternidad maternity; motherhood

matiz *m.* shade, tint; blending of colors
matizado blended; tinted
matrimonio matrimony, marriage; married couple
mayo May
mayor greater, greatest; more, older; chief, main; **la — parte** the majority
mayormente chiefly, principally
mecánicamente mechanically
mediado half-filled, half-full; **a mediados de** (of a period of time) about the middle of
mediano medium
médico doctor, physician; medical
medida measure; standard; rule; **a — que** at the same time as, while
medio half; somewhat; way, method; medium, environment *pl.* means; **en — de** in the midst of; **por — de** by means of; **a medias** partially, half and half
meditación meditation
meditar to meditate, ponder, think
mejilla cheek
mejor better, best; **— dicho** rather; **a lo —** perhaps, when least expected
mejorar to improve
melancólico melancholy, sad, gloomy
melena loose hair (women); long hair (men)
melodioso melodious
memorándum *m.* note, memorandum
memoria memory, recollection
mendicidad mendicity; beggary
menor less, lesser, least; younger, youngest; minor
menos less, least; except; **a lo —** at least; **al —** at least; **echar de — to miss; lo de —** least of all; **por lo —** at least
mente *f.* mind, understanding; sense
mentir (ie, i) to lie, tell a falsehood
mentira lie, falsehood; **parece —** it seems incredible
mentón *m.* chin
menudo small; **a —** often, frequently
merecer to deserve, merit; to obtain, attain; to be worth
merendar (ie) to lunch, have a snack
mes *m.* month
mesa table
metamorfosis *f.* metamorphosis, transformation
meter to put; **—se en** to meddle in
metódicamente methodically
mexicano Mexican
México Mexico; Mexico City
mezcla mixture
mezclar to mix; **—se con** to mingle with
mezquino niggardly, paltry, puny
miedo fear; **tener — (de)** to be afraid (of)
mientras (que) while, as long as; **— tanto** in the meantime
miga crumb, small fragment, bit
migaja small crumb or bit of bread; small fragment, chip, bit
mil thousand
milagro miracle
militar *m.* military man, soldier
millón *m.* million
mímica pantomime, sign language
mínimo minimum
ministerio ministry, cabinet
minuto minute, moment
mío: lo — what belongs to me
mirada look, glance
mirar to look (at); **— de hito en**

129

hito to stare at; to look at from head to foot; **— en torno** to look around

miseria misery, wretchedness

mismo same, very, own, self; **ahora —** right now; **lo —** the same

misterio mystery

místico mystic, spiritual

mitad half; **a la —** halfway

Mixcoac *La Castañeda*, a mental hospital, is located one mile east of Mixcoac which is in the Federal District and close to Tacubaya

mobiliario furniture

moda mode, style, manner

moderado moderate, reasonable

modernista modernist; modern

moderno modern

modificar to modify

modo way, manner; **de cualquier —** at any rate; **de — que** so then, so that; **de otro —** in another way, otherwise; **de tal —** in such a way; **de todos —s** at any rate; mood (*gram.*)

moldura molding; adornment

molestar to bother, annoy

molestia annoyance, bother, inconvenience, trouble

momentáneamente instantly, promptly, momentarily

momentito very moment

momento moment

monito little monkey

monstruoso monstrous, huge; extraordinary; shocking, hideous

montaña mountain

montar to mount, ride horseback; **ir a —** to go horseback riding

moral *f.* ethics, morality; *adj.* moral

mórbido morbid, diseased

morder (ue) to bite

moreno dark, brunette

morir(se) (ue, u) to die, pass away

mortuorio burial, funeral

Moscú Moscow

mostrar (ue) to show

motivo motive, reason; **con — de** owing to, on the occasion of

mover(se) (ue) to move

movimiento movement

muchacho boy

mucho much, great; a great deal; *pl.* many

mueble *m.* piece of furniture; *pl.* furniture

muerte *f.* death

muerto (*p. p.* of **morir**) dead

mujer *f.* woman; wife

mundial world; global, universal

mundo world; **todo el —** everyone, everybody

municipalidad municipality; municipal government

música music

mutis *m.* exit (*theat.*); **hacer —** to exit, leave; **iniciar el —** to start to go offstage

mutuo mutual, reciprocal

muy very; very much, very much so

N

nacer to be born

nación nation

nacional national

nacionalista nationalist; nationalistic

nada nothing; **de —** you're welcome

nadie no one, nobody

nariz *f.* nose

naturaleza nature

naturalista naturalist; naturalistic

necesario necessary

necesidad need, necessity

necesitar to need; **— de,** to be in need of

necio ignorant, stupid, foolish
negar (ie) to deny; —**se a** to refuse to
negativo negative
negocio affair
negro black, dark; gloomy
negrura blackness
nervioso nervous
ni nor, not even; — . . . — neither . . . nor; — **siquiera** not even; — **un** not a single
niebla fog, mist, haze
ningún (used for **ninguno** before a *m. sing. n.*)
ninguno no; **de ninguna manera** under no circumstances
niñez childhood, infancy
niño child; childish, childlike; **desde** — from infancy
no no, not; — **obstante** notwithstanding; nevertheless
noche *f.* night; **de** — by night; **de la** — in the evening; **esta** — tonight; **buenas noches** good evening, good-night
nodriza nurse
nombrar to name; to nominate, appoint
nombre *m.* noun; name
norte *m.* north
notar to note, notice, observe
notario notary public; lawyer
noticia a piece of news; —**s** news; advice, notice, information
notoriedad notoriety
novecientos nine hundred
novela novel
noventa ninety
noviembre November
nuevamente again; recently, newly
nueve nine
nuevo new; **de** — again
número number
nunca never

O

o or
obedecer to obey
objetivo objective
objeto object, purpose; article
obligación obligation, duty
obligar to oblige, compel
obra work, deed; book
obrar to work; to act; — **sobre** to effect
obsceno obscene, lewd
observación observation
observar to observe
obstáculo obstacle
obstante: no — notwithstanding, nevertheless
obtener to obtain, get, procure
ocasión occasion
occipucio occiput: the back part of the head where it joins the spine
ocultar to hide, conceal
ocupación occupation
ocupar to occupy
ocurrir to occur, happen
ocho eight
odiar to hate, despise
odio hate, hatred
odioso hateful, despised
ofensa offense
oficio occupation, work; function
ofrecer to offer
¡oh! (*interj.*) O! oh!
oído ear
oír to hear
ojeada glance, glimpse; **echar una** — to glance at
ojo eye
oler to smell
olor *m.* smell, odor
olvidar(se)(de) to forget
omitir to omit
once eleven
ondulante waving, undulating
opaco opaque, dull
opereta operetta, light opera

opinar to judge, be of the opinion
oponer(se) (a) to object to, to oppose
oprimir to press, push
opuesto opposite
oración prayer; sentence
orador *m.* orator, speaker
orar to harangue; to pray; to ask, beg for
orden *f.* order, command; *m.* arrangement, order, class, group
ordenar to order, command; to arrange, put in order
oreja ear
organizar to organize, set up; to arrange, put in order
orgullo pride
orgulloso proud, haughty, arrogant
origen *m.* origin
orilla shore; bank (of a river); edge (of a chair, etc.)
ortografía orthography, spelling
oscilar to oscillate, vibrate
oscuridad darkness
oscuro dark; gloomy
ostensiblemente ostensibly, apparently
otro other, another

P

pabellón *m.* pavilion
paciencia patience
paciente patient
padre *m.* father; —s parents
pagar to pay (for)
página page
país *m.* country
paisaje *m.* landscape, countryside
palabra word; I give you my word; — **de hombre** word of honor; **dar mi —** to give my word, to promise

palidecer to pale, turn pale
palidez paleness, pallor
pálido pale
paloma dove; pigeon
Pancho nickname for Francisco
panteón *m.* pantheon, mausoleum
paño cloth
pañuelo handkerchief
papá *m.* father
papel *m.* paper; part, role; — **de cartas** letter paper, stationery
paquete *m.* package, bundle of papers
par *m.* pair, couple; equal; **de — en —** wide open (of a door, etc.)
para to, for, in order to; — **con** towards, to; — **que** so that, in order that; **¿— qué?** what for?
paradójico paradoxical
parafernalia paraphernalia
parar(se) to stop, halt, desist; to prepare, get ready; to get (be) up
parecer to seem, appear; —**se a** to resemble
pared *f.* wall
paréntesis *m.* parenthesis
pariente *m.* relative
parisiense Parisian
paroxismo paroxysm
párrafo paragraph
parte *f.* part, side; **de mi —** on my part, for me; **en (por) todas —s** everywhere; **la mayor —** the majority; **por otras —s** everywhere; **de — de** in the name of, in behalf of; **en —** partially; **en ninguna —** anywhere
particular private; peculiar; special; particular
particularidad particularity; peculiarity; detail
partir to leave, depart; to split, divide; **a — de** starting from
párvulo child

pasado past; last; **— mañana** day after tomorrow; **el año —** last year

pasar to pass, go, pass on, pass over to; to happen; to spend (time); to transpire; **—se** to finish; to burn oneself out

pasear(se) to walk, pass, move; to take a walk or ride; to walk up and down, pace

pasión passion, emotion

paso step; **— a —** step by step

pasto food, nourishment; pasture, grazing

patético pathetic

pausa pause

payaso clown

payo gawk, churl, gump

paz *f.* peace; **meter —** to make peace

pecado sin; guilt

pecho chest

pedir (i) to ask for, request

pegado glued, stuck, fastened; **— a mis faldas** tied to my apron strings

pegar to hit, beat, slap

pelear to fight; to quarrel

peligro danger; **correr —** to be in danger

peligroso dangerous

pelo hair

pena grief, sorrow, pain (mental); **dar —** to grieve; **valer la —** to be worthwhile

pendiente dangling, pending

penetrar to penetrate, enter

penoso painful, distressing, embarrassing

pensamiento thought

pensar (ie) to think, consider; to intend; **— en** to think of, about

pensativo pensive, thoughtful

peor worse, worst

pequeño small, little

percibir to perceive

perder (ie) to lose, ruin; **—se** to get lost; **— los estribos** to lose one's head, to lose one's poise

pérdida loss

perdón *m.* pardon, forgiveness

perdonar to pardon, forgive, excuse

perenne perennial, perpetual

perfección perfection

perfecto perfect

periódico newspaper

período period, age, era

permanecer to remain, stay; to last, endure

permiso permission

permitir to permit, allow, let

pero but

perrillo little dog

perrito little dog, puppy

perro dog

persecución persecution; pursuit

perseguir (i) to pursue, persecute

persistir to persist, persevere

persona person; character

personaje *m.* personage; character (of a play)

personalmente personally

persuadir to persuade, induce, convince

persuasivo persuasive

pertenecer to belong

pertinente pertinent, apt, appropriate

perturbar to perturb, disturb, unsettle

pesadilla nightmare

pesado insufferable, annoying; heavy, dull

pésame *m.* condolence

pesar *m.* grief, trouble, worry; regret; to weigh; **a — de** in spite of; **a — suyo** in spite of himself

pétalo petal

petróleo petroleum, kerosene

picar to pique, vex, irritate

pie *m.* foot; **de —** standing

piedad pity

piedra stone, rock
piel *f.* skin
pieza piece of work; play, drama; fragment, part; room
pistola pistol
plancha slab
plano plan (drawing); map
platicar to talk, chat
plazo term, time; installment; noche de — night of "grace"
pluma fuente *f.* fountain pen
pluscuamperfecto pluperfect tense (*gram.*)
pobre poor
pobrecito poor little thing
poco a little, few, short, not very; **no —s** several; **— a —** little by little; **un —** a little; somewhat
poder to be able to, can; **no — más** not to be able to do more; to be exhausted; **no poder menos de** + *inf.* can't help + *pres. p.*; **puede ser que** it may be that, perhaps; *m.* power
poderoso powerful
poema *m.* poem
poesía poetry; poem
poeta *m.* poet
poético poetic, poetical
política politics
político political; politician
polo pole
polvo dust
polvoso powdered; dusty
poner to put; —se to become; put on; —se a to begin to; —se de acuerdo to agree; —se en pie to stand up; no te pongas así don't act that way
por by, because of, for, through, along, across, in order to, by means of, for the sake of; **— entre** through; **— eso** for that reason; therefore; ¿ **— qué?** why?; **—... que** however, no matter how

porcelana porcelain, china, chinaware
porque because
portar to carry; —se to behave oneself; to act
porvenir *m.* future
poseído possessed
posesivo possessive
posibilidad possibility
posible possible
posición position
posponer to postpone, delay
posterior rear; later, subsequent
póstumo posthumous
potente powerful
potro colt, foal
práctico practical
preceder to precede
precioso beautiful; valuable, precious
precipitar to precipitate, rush, hasten, hurry
precisión precision, preciseness, exactness
preciso precise, exact, accurate; necessary
preferible preferable
preferir (ie, i) to prefer
pregunta question; **hacer una —** to ask a question
preguntar to ask
prender to light, turn on (a light); to grasp, catch, apprehend; **— fuego** to set on fire
preocupar to preoccupy, concern; —se to worry over or about
preparar to prepare; —se to get ready, be prepared
preparatoria preparatory
preposición preposition
presencia presence
presentación personal introduction
presentar to present; to put on; to show, display; —se to appear
presente present, current

presentir (ie, i) to forebode, predict; to have a presentiment of
presidencial presidential
presidente *m.* president
prestar to lend, aid, assist; — **atención** to pay attention
presumir (de) to presume, claim to be
presuroso prompt, quick
pretender to pretend; to propose; to try
pretérito preterit or past tense (*gram.*)
pretexto pretext
previo previous, prior
primario primary
primer (used for **primero** before a *m. sing. n.*)
primero first; **de primera** highest grade, of superior quality
principalmente principally, mainly
principio beginning; principle
prisa haste; **darse —** to make haste, hurry; **a —** quickly
privado private
privar to deprive; to prevail
prix (*Fr.*) prize
PROA prow: symbolic name of a group of actors in Mexico City
probablemente probably
probar (ue) to prove, try, test
problema *m.* problem
procaz bold; insolent, impudent
proceder to proceed
prócer tall, lofty, elevated
proceso trial, criminal case, proceedings of a lawsuit
proclamar to proclaim
procurar to try, endeavor; to secure, obtain, procure
producción production
producir to produce; to exhibit
profesar to profess
profesional professional
profesor *m.* professor, teacher

profundo profound, deep
programa *m.* program; scheme
progresar to progress
progresivo progressive
progreso progress
prohibir to prohibit; to refuse
prole *f.* offspring, progeny, race
promesa promise
prometer to promise
promulgar to promulgate, proclaim; to publish
pronombre *m.* pronoun
pronto soon, quick, quickly, ready; **de —** suddenly; **por lo —** in the meantime, for the time being
pronunciar to pronounce
propagandista propagandist
propiedad property
propio own; typical
proponer to propose, propound; **—se** to plan, intend
proporcionar to proportion; to supply, provide, furnish
propósito purpose; **a — de** in connection with; **de —** on purpose
prosa prose
proseguir(i) to proceed, continue; to pursue
protección protection
proteger to protect
protesta protest
protestar to protest
proveer to provide; **—se (de)** to provide oneself (with)
provincia province
provinciano provincial; provincialist
provocar to provoke, challenge
próximo (a) near, next (to); nearby
proyecto project, plan; design
prudente prudent, cautious, wise
prueba proof, evidence; trial; **poner a —** to put to the test
publicar to publish

público public; audience
pueblo people; town
pueril childish, puerile
puerta door
pues since, as, well, then, because; — **bien** well then
puesto position, job; — **que** since; (*p. p.* of **poner**) put, placed
pulido polished
punto point, period; object; — **de vista** point of view; **a — de** about to, on the point of
puñal *m.* dagger
puño fist
pureza purity; fineness, genuineness
puro pure; unmixed; absolute; honest

Q

que than, which, that, who, whom; because, for
¿qué? what? how? ¡ — ... ! what a ... !; ¡ — ... ! how ... !
quebrar (ie) to break
quedar(se) to remain, stay; — **bien (mal)** to come out (show up) well (badly)
quejarse to complain; to grumble; — **de** to regret, lament
querer to want, wish, love; — **decir** to mean; **no — nada con** not to wish to have anything to do with
querido dear, beloved
quien who, whom, he who; **a —** whom; **—es** those who
¿quién? who? whom?
quienquiera whoever
quieto quiet, still, silent
quietud quietude, quietness, tranquility
quince fifteen
quinientos five hundred
quinqué an Argand lamp: student lamp; the Spanish name *quinqué* is from the manufacturer Quinquet who first made it.
quitar(se) to take off, take away, remove; to move away, withdraw
quizá(s) perhaps

R

rabia rage, fury
radicalmente radically, fundamentally
raíz *f.* root; base; foundation; **a — de** close to, immediately, right after
rapidez rapidity, swiftness
rápido rapid, swift
raro rare, odd
rasgar to tear, rend, rip
rastro track; sign; token; scent, trail
rato while
raudo rapid; impetuous
rayo ray, beam; — **de sol** sunbeam
razón *f.* reason; **perder la —** to become insane; **tener —** to be right
razonable reasonable
razonado reasoned, detailed, itemized
razonar to reason
reacción reaction
reajustar to readjust
realidad reality, fact; **en —** truly, really; in fact
realismo realism
realista realist; realistic
realización realization, fulfillment
realizar to realize, fulfill, carry out, perform
reanimar to cheer, comfort; to encourage; to revive, reanimate
reanudar to resume, renew

reaparecer to reappear
rebarnizar to revarnish
rebozo woman's shawl
rebuscamiento diligent search
recelo misgiving, fear, suspicion
receloso distrustful, suspicious
recibir to receive
recién recently, lately; **— llegado** newcomer
reciente recent, new
reclamar to claim; to demand
reclinar to recline; **—se en** or **sobre** to lean on or upon
recobrar to recover
recoger to gather, collect, get, pick up; to take away
reconocer to recognize; to inspect, examine closely; to admit
recordar (ue) to remember, recall, remind
recuerdo memory; recollection; remembrance
recuperar to recover, regain, recuperate
recurso recourse; *pl.* resources, means
recurrir to apply, resort; to revert
rechazar to refuse, turn down
redivivo revived, restored
redondear to round, make round
redondel *m.* circle; circus ring
redondo round
reducir to reduce
reelegir (i) to reelect
reemplazar to replace, substitute
referir (ie, i) to relate, tell; to direct, submit; **—se a** to refer to
reflejar to reflect
reflejo reflection; glare
reflexionar to think, reflect
reflorecer to reflourish, blossom again
refrenado restrained, checked

refugiarse to take refuge, shelter
regalar to present, give a present
regalito small gift
regalo gift
regazo lap
registrar to search, examine, inspect
regresar to return, come back
regreso return; **de —** back
rehusar to refuse, decline, reject
reír(se) to laugh; **—se de** to laugh at, make fun of
relación relation
relacionado con related to, connected with
relámpago lightning; flashing
religioso religious
relucir to shine
remedio remedy, solution; **no hay otro —** there's no other way out; **no tener —** to be unavoidable
remitir to remit; to cite, refer; to forward, transmit
remordimiento remorse
remoto remote; unlikely
remover (ue) to move, remove, transfer
rencor *m.* rancor, animosity, grudge
rendir(se) (i) to surrender; to become tired, worn out, exhausted
renombre *m.* renown, fame
renuente unwilling, reluctant
renunciar to renounce, refuse; to give up
reñir (i) to quarrel, wrangle; to scold, reprimand
reparto cast of characters
repasar to repass; to check; to scan, glance over, review
repente: de — suddenly
repetición repetition
repetir (i) to repeat
reposar to rest

reprender to reprehend, scold, reproach
representación representation; performance, production
representar to represent
reprimir to repress, check, curb
reproche *m.* reproach, rebuke
reproducción reproduction, copy
república republic
repugnancia repugnance
repugnante repugnant, repulsive
repugnar to oppose, contradict, conflict with; to disgust
reputación reputation, fame
requerir (ie, i) to require; to summon, notify
reservar to reserve, keep, retain; to postpone, defer
resignación resignation; submission
resignarse (con) to resign oneself (to)
resistencia resistance
resistir(se) to resist; to endure
resolución resolution
resonancia resonance
resonar (ue) to resound, echo
respaldo back of a chair or seat
respecto a or **de** with regard to, concerning, regarding
respetar to respect
respeto respect
respirar to breathe
responder to answer, respond
responsabilidad responsibility
responsable responsible
resto rest, remainder; *pl.* remains
resuelto (*p. p.* of **resolver**) resolute, determined
resulta result, effect, consequence
resultado result
resumen *m.* summary, résumé; **en —** summing up, in short
retener to retain, keep

retirar(se) to retire, withdraw, retreat
retraso delay; slowness, backwardness
retrato picture, portrait
retroceder to go back, retreat, draw back
reunir to reunite, join, gather together; **—se** to convene, meet
revelar to reveal
revés: al — on the contrary; in the opposite or wrong way; wrong side out
revisión re-hearing; new trial
revolución revolution
revuelto topsy-turvy
rezar to pray; **— el rosario** to say or pray the rosary
rico rich
ridículo ridiculous; odd, eccentric; **poner en —** to ridicule
rigor rigor, sternness; **en —** strictly speaking, in fact
rincón *m.* corner (inside)
rinconera small triangular or corner table
riqueza wealth
risa laugh, laughter; **dar —** to make one laugh
ritmo rhythm
robar to rob, steal, plunder
robusto robust, strong
rodar (ue) to roll; to wander about
rodeado (de) surrounded (by)
rodear to encircle, encompass, surround
rodilla knee; **de —s** kneeling
rogar (ue) to ask, implore, plead
romántico romantic
romper to break; **— a** to start to
ronco hoarse, raucous
ropa clothes, clothing
rosa rose
rosario rosary; assemblage of people who recite the rosary in mass

rostro face
roto (*p. p.* of **romper**) broken
rubio blond, golden, fair
ruego plea
ruido noise
ruina ruin; overthrow, fall
rumbo direction; — **a** in the direction of
rutina routine; custom, habit

S

saber to know; to know how; — **mi cuento** to know what I'm doing, to have my reasons
sabio wise, learned
sacar to take out
saco coat, jacket
sacrificar to sacrifice
sacristía sacristry, vestry
sacudir to shake
saeta arrow, dart, shaft
sagrado sacred
sala room; living room
salida departure, way out, outlet
salir to leave, go out, come out; to show up, sprout
saltar to jump, leap
salto jump, leap
salud *f.* health
saludar to greet
salvación salvation
salvaje savage
salvar to save
sangre *f.* blood
sano healthy
Sano, Seki (1905–), Japanese stage director who directed the performance of Usigli's *Corona de Sombra* in 1951 at the Palace of Fine Arts in Mexico City.
santo holy, saintly, blessed; saint; saint's day
sastre *m.* tailor
satisfacción satisfaction
satisfacer to satisfy

seco dry; abrupt, curt; cold, indifferent
sección section
secreto secret
secundario secondary
sed *f.* thirst; **tener —** to be thirsty
seguida: en — immediately, at once
seguir (i) to continue, follow; **—** + *pres. p.* to keep on + *pres. p.*; **como sigue** as follows; **seguido de** followed by
según according to; depending on
segundo second
seguridad certainty; security
seguro sure, certain; **de —** surely
seis six
semana week
semejante such (a); similar
semejanza resemblance, similarity
senador *m.* senator
sencillez simplicity
sencillo plain, simple
senda path, way
sensación sensation
sensibilidad sensibility; sensitiveness
sensitivo sensitive; sensual
sentar (ie) to seat; **—se** to sit down; to suit, fit, agree with
sentido sense, meaning
sentimiento sentiment, emotion, feeling
sentir(se) (ie, i) to feel; to hear; to regret, be sorry for
seña sign, mark, indication; nod, gesture
señal *f.* sign, indication; **en — de** as a sign of
señalar to indicate, point out, name
señor *m.* gentleman, master, sir, Mr.

139

señora lady, woman, madam, Mrs.
señorita young lady, Miss
separación separation
separar to separate, divide
sepelio burial, interment
séquito retinue, suite, train
ser to be; — **de** to belong to; **es decir** that is to say; **o sea** or in other words; — *m.* being
serenar(se) to become calm or serene; to settle, pacify
serenidad serenity, calm, tranquility
sereno serene, calm, quiet
serie *f.* series
seriedad seriousness
serio serious; **en** — seriously
servicio service
servil servile; humble; lowly
servir (i) to serve; — **de** to serve as; **no** — **de nada** to be useless; **sírvase Ud. . . .** please . . .
sesenta sixty
sesión session
setenta seventy
severo severe
si if; whether
sí yes; **decir que** — to say so
siempre always; **de** — as usual; **lo de** — the usual (thing); **para** — forever
siete seven
siglo century
significado meaning
significar to mean
siguiente following
silencio silence
silenciosamente silently, noiselessly
silueta silhouette
silla chair
sillón *m.* large chair, armchair
simpático congenial; appealing; pleasant, nice
simpatizar to be congenial; to like

simplemente simply, plainly; foolishly
simultáneamente simultaneously, at the same time
sin without; — **embargo** nevertheless; — **que** *conj.* without
sinceridad sincerity
sincero sincere
síncope *m.* fainting spell
siniestro sinister, vicious
sino but; except, besides
sinónimo synonym
síntoma symptom
siquiera even, at least; **ni** — not even
sirviente *m.* servant
sistema *m.* system
sitio place
situación situation
situar to place, locate, situate
sobrar to be left over, be in excess, not to be needed; **de sobra** well enough, over and above
sobre on, upon, over; about, concerning; — **todo** especially, above all; — *m.* envelope
sobrenombre *m.* surname; nickname
sobresaliente outstanding
sobresalto sudden assault; startling surprise
sobrevenir to take place, happen
sobrevivir to survive, outlive
sobriedad sobriety; frugality
sobrino nephew
sobrio sober, temperate; frugal
socialista socialist
sociedad society; social intercourse
sofá *m.* sofa, couch
sofocar to choke, suffocate, smother, stifle
sol *m.* sun; **rayo de** — sunbeam
solamente only
soledad loneliness, solitude
solemne solemn, serious

soler (ue) to be in the habit of, be accustomed to
solo alone, single; **a solas** alone
sólo only, solely
soltar (ue) to untie, unfasten, turn loose; to burst out
solución solution
solucionar to solve
sollozar to cry or sob
sollozo sob
sombra shadow, shade; darkness
sombrero hat
sombrío gloomy, sombre; taciturn, sullen
someter to submit
somnolencia sleepiness, drowsiness
son *m.* sound, noise
sonambulismo somnambulism
sonámbulo somnambulist
sonar (ue) to sound, be heard, ring or strike (of clock)
sonido sound
sonreír (i) to smile
sonriente smiling
sonrisa smile
soñar (ue) (con) to dream (of) (about)
soplar to blow
soportar to support, endure, bear, stand up under
sorprender to surprise
sorpresa surprise
sospecha suspicion
sospechar to suspect
sostener to sustain, support; to hold (up)
Strindberg, August (1849–1912), Swedish dramatist whose play *The Night of a Somnambulist* is well known.
suavemente gently, meekly, sweetly
suavidad softness, gentleness, ease
subir to rise, go up

súbitamente suddenly, all of a sudden
subjuntivo subjunctive mood (*gram.*)
subrayar to underline
subsistir to exist; to subsist, last
substraer to subtract, remove, take off, deduct; **—se** to withdraw oneself
suceder to succeed, follow, be the successor (of); to happen
sucesivo successive, consecutive
sucesor *m.* successor
sucio dirty
suelo floor
sueño sleep; dream; **tener un —** to dream
suerte *f.* luck, fortune; fate; **tener —** to be lucky; **de tal — que** in such a way that, so that
suficiente sufficient
sufrir to suffer, endure, bear
sugerencia suggestion
sugerir (ie, i) to suggest
suicidarse to commit suicide
sujetar to subject; to subdue; to grasp; to fasten, catch
sujeto subject, theme, matter; person, individual, fellow; **mal —s** badly fastened (held back)
suma sum, total; **en —** in short
sumamente chiefly; exceedingly, highly
sumergir(se) to submerge, sink; to plunge, dive; to overwhelm
sumido submerged; distressed, overwhelmed
superficie *f.* surface
súplica entreaty, request
suplicar to entreat, implore, beg, request
suponer to suppose, assume
supremo supreme
suprimir to suppress; to omit
supuesto (*p. p.* of **suponer**) supposed; **— que** allowing that,

141

granting that; since; **por —** of course, naturally
sur *m.* south
surgir to come forth, rise up, arise, appear
surtidor *m.* purveyor; jet, spout, fountain
surtir to supply, furnish, provide; to spout
suspender to suspend, stop
suspirar to sigh
suspiro sigh
sustituir to substitute, replace
susto fear, dread
sutil subtle, cunning

T

tacita small cup, demitasse cup
tal such (a); **— vez** perhaps; **con — (de) que** provided that; **¿Qué tal?** hello, how goes it?
talento talent; genius
también also, too
tampoco neither, not either
tan so, as
tanto so much, as much; *pl.* so many, as many; **en —** in the meantime; **en — que** while; **mientras** or **entre —** in the meantime; **por lo —** therefore; for that reason; **— como** as much as, as well as; **un —** a little, somewhat
tapiz *m.* tapestry; upholstery
tardar to be late, take a long time, delay; **— en** to delay in
tarde *f.* afternoon, evening; **por la —** in the afternoon or evening; **—** *adv.* late
tarea task, chore
taza cup
teatro theatre
teclado keyboard
telégrafo telegraph office
telegrama *m.* telegram
telón *m.* stage curtain

tema *m.* theme, subject, topic; **cambiar de —** to change the subject
temblar (ie) to tremble, shake, shiver
tembloroso trembling, tremulous
temer to fear, be afraid
temerario rash, unwise, imprudent
temeroso fearful
temperatura temperature
tempestad storm; **hacer una — en un vaso de agua** to make a tempest in a teapot
temprano early
tender (ie) to stretch (out), extend, spread, lay out, give; to have a tendency
tener to have, hold; **— costumbre de** to be accustomed to; **— ganas (deseos)** to want, desire; **— pena** to grieve, worry; **— que** to have to; **— razón** to be right; **— sueño** to be sleepy; **tenga la bondad de** + *inf.* please . . . ; **aquí tiene usted** here is; **aquí tienes** here it is
tentación temptation
tercer (used for **tercero** before a *m. sing. n.*)
tercero third
terciopelo velvet
terco stubborn
terminar to end, finish; **— de** + *inf.* to have just + *p. p.*
término term, word; **primer —** foreground
terna ternary: three names presented as candidates
terriblemente terribly, frightfully
territorio territory, region
tesis *f.* thesis, dissertation
tiempo time; weather; tense (*gram.*); **a —** on time; **en otro —** formerly

tiernamente tenderly
tierra land, earth
tieso stiff, hard, firm
timidez timidity, bashfulness
tímido timid, shy, bashful
tintura tincture; tint, color; stain
tío uncle
tipo type, kind
tiranía tyranny
tirar to pull; to throw, cast, fling; — **dinero** to squander money; — **la escritura** to draw up the deed (property); **—se** to abandon oneself (to grief, etc.)
tiro shot
titular to title, entitle, name, call
título title
tocar to touch; to play (a musical instrument); to be one's turn; to knock, to ring (a bell)
todavía still, yet
todo all, everything, whole, every; **sobre —** especially; **— el mundo** everyone
tolerancia tolerance
tolerar to tolerate
toma capture, seizure
tomar to take; **— en cuenta** to consider, take under advisement
tono tone, volume
tontería foolishness, silliness, nonsense
tonto silly, foolish, stupid; fool
tornar to return; to restore, change, alter
torno turn; **en — a (del)** regarding, about, in connection with; **en —** round about
tortura torture
torturar to torture, punish
torre *f.* tower
Torreón a city in southwestern Chihuahua, captured by Pancho Villa on October 1, 1913
toser to cough
totalmente totally

toujours (*Fr.*) always
trabajador industrious; laboring, working; *m.* worker, laborer
trabajar to work
trabajo work, labor
tradición tradition
traducir to translate
traer to bring, bear, carry; to attract
tragedia tragedy
trágico tragic
trago drink, "shot" of liquid; **a —s** by degrees; **echar un —** to take a drink
traición treason
traicionar to betray, to do treason to
traidor *m.* traitor
traje *m.* dress, suit; **— de montar** riding habit
tranquilidad calm, tranquility
tranquilizar(se) to calm, quiet down
tranquilo calm, tranquil, quiet
transfiguración transfiguration
transfigurar to transfigure, transform
transformar to transform, change
transformismo transformism, evolutionism
transición transition
trapecio trapeze
tras (de) behind, after
trashumante travelling, roving
trasponer to transpose, remove, transport
trastornado upset, disarranged; mad, unbalanced
trastorno upsetting, disturbance, disorder, trouble
tratamiento treatment
tratar to treat, deal (with), try; **— de** to try to; to address as; **—se de** to be a question or matter of; **¿de qué se trata?** what are you talking about?
trato treatment, handling

143

través: al — de through, across; **a — de** across
travesura prank, frolic, caper, antic, mischief
trece thirteen
treinta y siete thirty-seven
tremendo tremendous
trémulo tremulous, shaking
tren *m.* train
tres three
trino trill
tripié *m.* three-footed stand
triste sad, unfortunate
tristeza sadness
triunfar to triumph, conquer, achieve
triunfo triumph, victory
tropezar (ie) to stumble
tubería pipe line
turbado disturbed, upset, confused
turbio disturbed, confused, upset, troubled, turbulent
tutear to use the familiar **tú** in addressing a person

U

u (used before words beginning with *o* or *ho*) or
ubicar to be situated, located
último last; **por —** finally
umbral *m.* threshold
umbría shady place
un (used for **uno** before a *m. sing. n.*)
uno, -a a, an; **—s** some; **—s cuantos** some few, a few; **— por —** one after another, one by one
únicamente only, solely
único only, sole; singular, unique, rare; **lo —** the only thing
unidad unity
unir(se) (a) to unite, join
uña fingernail

urgente urgent
urgir to be urgent, require immediate action; to insist
usar to use
uso use, usage
útil useful

V

vacaciones vacation
vacilación hesitation
vacilar to hesitate, waiver
vacío empty; emptiness; empty space
vago vague, indistinct
valer to be worth, cost; **más vale . . .** it's better . . . ; **— la pena** to be worth the effort, to be worth while
válgame Good heavens! Bless me!
valiente brave
valor *m.* value; bravery, valor, courage
vals *m.* waltz
vámonos let's go
vano vain; **en —** in vain, uselessly
variado varying
variar to vary
varios various, several
vaso glass
¡vaya! well! indeed!
vecino nearby, neighboring
vegetación vegetation
vegetar to vegetate
veintidós twenty-two
vejez old age
vela candle; vigil, wakefulness; **en —** vigilantly, without sleep
veladora table lamp
velar to watch, to keep vigil; to be awake
velorio wake, watch over a dead person
vencer to conquer, win, overcome

vender to sell
veneno poison
venganza revenge
venir to come
ventana window
Venus nickname of Venustiano Carranza, Mexican dictator president
ver to see, look at; ¡a — ! let's see!
verano summer
veras: de — really, right; it's true
verbo verb
verdad truth; **es —** it's true; **¿ — ?** isn't it? is (isn't) that so?
verdadero true, real, actual
verde green, verdant; *m.* verdure
vergonzoso shameful
verso line (of poetry); *pl.* poems
vestido dress, gown
vestir(se) (i) to dress, wear; **— de negro** to dress in black (mourning)
vestuario wardrobe, clothes, clothing
vez time; **a la —** at the same time; **cada —** every time; **de — en cuando** from time to time; **en — de** instead of; **más de una —** more than once; **otra —** again; **una —** once; **tal —** perhaps; **a veces** occasionally; **rara —** seldom
viajar to travel, take a trip
viaje *m.* trip; **hacer un —** to take a trip
vicio vice; defect; fraud
víctima victim
victoria victory, triumph
vida life; **mi —** dearest
viejo old; old man
viento wind
villa town
villista *m.* follower of Francisco "Pancho" Villa, Mexican general of the Revolution of 1910
violencia violence
violento violent, furious, impulsive
violeta violet-colored
virtud virtue
visiblemente visibly
visita visit; visitor, guest
visitar to visit
vista sight, view, vision; glance, look; **punto de —** point of view; **hasta la —** so long, until we meet again
visto *p. p. of* **ver** seen
vitrina show-case; china cabinet
viudo widower; bird of South America; *adj.* applied to birds that pair
vívidamente vividly, brightly
vivir to live; ¡**vive Dios!** by God!
vivo lively; alive; vivid, bright
vocabulario vocabulary
volar (ue) to fly
volumen *m.* volume
voluntad will, good will; volition; kindness
volver (ue) to return, turn; **— a hacer** to do again; **— la espalda** to turn one's back; **—se** to become, turn; **—se loco** to lose one's mind
voz *f.* voice, shout; **en — alta** out loud, aloud; **en — baja** in an undertone; **en (con) — blanca** in a dazed voice, blankly; **a media —** in a whisper; **dar voces** to cry, scream, shout, yell
vuelta return, turn; **dar media —** to turn halfway around; **dar vueltas** to turn; to walk to and fro; **de —** back, returned; on returning
vuelto *p. p.* of **volver** turned, returned

Y

y and
ya already, now, then, soon; **— lo creo** yes indeed; **— no** no

145

longer; — **que** since; **y** — and that's it

yendo *pres. p.* of **ir** going

Z

Zacatecas the capital city of the state of Zacatecas, located about 439 miles north of Mexico City

zaga: **a tu —** in your wake

zaguán *m.* entrance hall, vestibule

zozobra anguish, anxiety, worry

DATE DUE

GAYLORD			PRINTED IN U.S.A.